文春文庫

長助の女房

御宿かわせみ26

平岩弓枝

文藝春秋

目次

老いの坂道……7
江戸の湯舟……36
千手観音の謎……70
長助の女房……101
嫁入り舟……128
人魚の宝珠……164
玉川の鵜飼……196
唐獅子の産着……233

長助の女房

老《お》いの坂道《さかみち》

一

この年、江戸は酷暑であった。

殊に三伏《さんぷく》と呼ばれる盛夏の間は炎熱地獄のような日が続いて、日本橋では往来を歩いていた隠居が突然、倒れて、医者へ運んだ時はもう呼吸が止っていたとか、品川の街道筋で瓜を売っていた女が暑さに当って意識を失ったなぞと連日のように瓦版が書き立てた。

が、立秋の後に来る末伏《まつぷく》の日を越えると、俄《にわ》かに気温が下って、朝夕はとりわけ過しやすくなった。

「ほんに、この間中の暑さでなくてようございましたね」

大川端の「かわせみ」で東吾《とうご》の身支度を手伝いながらるいがいったように、川風の吹き込んで来る部屋は夜と共に涼しさが増して来て、黒の紋付に裃《かみしも》をつけた正装でも、さして暑苦しいことはない。

「殿方はまだしも、花嫁様が大変でございますよ。お召しものはともかく、綿帽子の下の暑さなんてものは、考えただけで汗が出ますから……」

団扇《うちわ》で東吾に風を送りながらお吉《きち》が大袈裟《おおげさ》に顔をしかめる。

「なんだって、新田様じゃあ、こんな季節に御祝言をおあげなさいますんですか」

もう十日もすれば秋の気配も落つくだろうのにといったお吉に、東吾が苦笑した。

「源さんの話だと、嫁さんの母親があまり体が思わしくないそうだ。せめて元気な中《うち》に娘の花嫁姿をみせてやりたいということらしいよ」

「まあ、そうなんでございますか。それじゃ少々、暑くとも致し方ございませんね」

お吉がしゅんとした時、嘉助《かすけ》が廊下に顔を出した。

「畝《うね》の旦那がおみえでございますよ」

日頃、町奉行所の定廻《じょうまわ》り同心として着流しが建前の畝源三郎《げんざぶろう》も、今日は神妙な裃姿で、おろしたてらしい白緒の草履がどことなく板につかない。

畝家の若党が定紋入りの提灯を持って供をして来たのをみて、嘉助が、

「若先生のお供は手前が……」

といったが、

「なに、新田家は目と鼻の先だ。そんな心配はいらないよ」

東吾は颯爽と、畝源三郎に肩を並べ、「かわせみ」を出かけて行った。

町奉行所で畝源三郎と同じく定廻りを勤める新田彦左衛門は子がなくて、親類から養子を迎え、それが三年前から見習として出仕していた。

この春、無事に本勤と決って、同時に嫁取りの話が進んだ。

今夜がその祝言で、畝源三郎が列席するのは同僚の故、東吾の場合は大一郎という、その養子が、八丁堀の道場で東吾から剣を学んでいる関係であった。

新田家は八丁堀組屋敷の中でも一番、大川に寄った亀島町で、亀島川から大川へ流れ込む細い水路沿いの道には子供が集まって線香花火に興じている。

「源さん、なんで迎えに来てくれたんだ」

新田家は畝源三郎の住む組屋敷から「かわせみ」へ来るほぼ中間にあった。

通りすがりに立ち寄ったというのではない。

「理由は二つほどありますよ」

例によって定廻り同心らしくない穏やかな口調で源三郎が答えた。

「東吾さんが祝言の席に出てくれると養子の大一郎どのから聞いて、新田彦左衛門どのは大変、感激しているのです。御老体は定廻り同心の中では極めつけの律義者ですから、当夜は、つまり今夜のことですが自分で東吾さんに挨拶に出むきたいと考えて手前に相談なさったのです。しかし、花聟の父親に迎えに来られたら東吾さんも迷惑だろうと思って、手前が御老体の代理を致しましょうと申し出たわけです」

「冗談じゃねえぜ。たかが、悴に剣術《やっとう》を教えたくらいで……俺は大一郎が来てくれといううから……」

「しかし、御老体にとっては、吟味方与力どのの御舎弟で剣をとっては講武所随一、軍艦操練所きっての秀才とあっては……」

「源さん、なにか悪い下心があるんじゃねえのか。随分と無理な持ち上げ方だぜ」

「まあ、手前は東吾さんの弱味をいくつも握っていますから、世間がどう持ち上げても驚きませんがね」

「なにをいってやがる」

笑い合っている中に亀島橋がみえて来て源三郎が早口になった。新田家は橋のむこう側である。

「もう一つ、少々、困ったことがあるのですよ」

新田彦左衛門は養子の大一郎が正式に町奉行へ本勤と決って、この春、隠居届を出した。

町奉行所に属する与力、同心は一代抱えが建前であった。けれども現実にはその多くが世襲で、息子が適当な年齢に達すると、まず願い出て無足見習となる。

無足とは無給のことで、下っ端の只働きを少々つとめると大抵が見習に昇格し、数年後には本勤並、或いは、それを通り越して本勤となる。

そのあたりで、父親のほうは隠居願を出して息子と交替に奉行所勤めを終るのであった。

従って、新田家でも、その慣例に従って彦左衛門は御役を退いたのだったが、

「なんと申したらよいのですかね。長年、あけても暮れても町廻りをしていた者が、急に屋敷に閉じこもって日向ぼっこというのが出来る者もいれば出来ない者もいる。彦左衛門どのは今のところ、どうも後者のようなのですよ」

町奉行所へ出勤こそしないが、今まで自分が廻っていた町々を一人で巡回している。番屋があれば立ち寄って、何事もないかと訊く。

「その程度ならまだしも、事件があって番屋の戸を開け、定廻りの廻って来るのを待っている所へ出くわしますと、早速、昔のように取調べをはじめるのです」

番屋のほうでは、みんな彦左衛門がすでに隠居しているのを承知しているが、つい、この春まで定廻りの旦那だった人が、馴れた調子で次々と取調べると黙ってもいられないで、つい受け答えをしてしまう。

「そりゃあ、まずいな」

後から廻って来る定廻りの旦那は、番屋へ行ってみると、かつての先輩が堂々とした態度で、これはもう片付いたし、あとのことは町役人《ちょうやくにん》にまかせてあるなぞといわれると驚きもするし、腹も立って来る。

「町奉行のほうで、誰か注意をしてやらなかったのか」

「勿論、かつての御同役の方々が仰天して、もはや、左様なことをしてはならないと説

諭されたそうですが……」

「糠《ぬか》に釘か」

「番屋へは立ち寄らなくなった代りに、町名主の家とか、商家などを頻繁に訪ねるそうです」

定廻りの旦那だった頃、何かと相談にのってやったり、内輪の事件の解決に骨を折った豪商のところなどへ、ひょっこり顔を出して、

「どうか。近頃は万事、うまく行っているか」

なぞという。

「訊かれたほうは、いろいろに解釈するようです」

相手が相手だけに、門前払いとはいかないから、上へあげて茶菓或いは酒食のもてなしをする。そのあげく、いろいろと巧みにもちかけられると、つい、家の中の揉め事を打ちあけて、智恵を借りることになったり、厄介な筋へ口をきいてもらったりする。

「となりますと、やはり、それなりの礼を出すことになります」

町奉行所の現役時代でも、それは違法だが少々のことでは表沙汰にならない。

「しかし、隠居の身ですから……」

更に悪い例は、昔、内々に取りはからってもらった事件を蒸し返されるのかとかん違いして、慌てて金を包む。

「これは当人にその気がなくとも恐喝になります」

「まさか、金が欲しくてやっているのではあるまいな」

「大一郎どのがまわりから注意を受けて、慌てて彦左衛門どのを問いただしたところ、久しぶりに寄ったら、隠居祝をもらったといわれたそうです」

「成程なあ」

金を出すほうは、まさか、これは口止め料でともいえないから適当な口実を作る。もしも、彦左衛門がそのあたりに気がつかず、単純に相手の言葉通りに受け取っているととんでもないことになる。

新田家の高張提灯がみえて来て、二人は話をやめた。

二

新田大一郎の祝言は、それなりに華やかであった。

花嫁は、同じく町奉行所の同心の娘で、名を絹江といった。

父親は佐倉藤十郎。吟味方の同心であった。

また、大一郎の生家からも両親が揃って参列したが、父親はやはり町奉行所の同心で掛《かかり》は下馬廻りであった。

つまり役職は異るが、いわば内輪同士で招かれた客も大方は顔見知りである。

その意味では和気藹々《わきあいあい》とした祝言の席となる筈であるのに、東吾がみるところ、どこかぎくしゃくしている。

その原因は新田彦左衛門にあるようであった。

養父とはいえ、跡継ぎの祝言なのだから、もう少し愛想があってもよさそうなところなのに、むっとした表情で、客の挨拶にも会釈一つしない。

見渡してみると、定廻りの、かつての彦左衛門の同僚としては、畝源三郎が只一人来ているだけであった。

定廻り同心は定員が六人だから、五人が招かれても来なかったのか、或いは招かれなかったのか。

それにひきかえ、吟味方同心は本役、見習合せて十九人が来ていた。花嫁の父を含めると二十人だから、吟味方同心の全員が出席していることになる。

それに、町会所掛《まちかいしょがかり》の同心が三名来ているのは、花聟が町会所掛なので、いずれも先輩に当る。

残りの客は花聟の実父の同僚五人で、いずれも下馬廻りの同心であった。

同心でない者は神林《かみばやし》東吾が只一人、あとは新田家とつきあいのある商家の主人が片すみに並んでいる。

花嫁の父、佐倉藤十郎と、花聟の実父、山崎市之助は昵懇《じっこん》のようであった。その二人が声をかけ合って、客をもてなし、席を盛り上げている。そして、客の歓談の輪から、新田彦左衛門は完全に外されていた。

機会をみつけて、東吾は自分から銚子を手にして彦左衛門の前にすわった。

「長年、御役目御苦労でございましたな」

さりげなく挨拶をして、盃に酌をすると、彦左衛門は正直に相好を崩した。

「いやいや、神林様のようなお若いお方に左様、おっしゃって頂くと面映《おもはゆ》い気が致しますが……」

十八歳の時、家督を継ぎ、二十歳で定廻りに抜擢《ばってき》されたといった。

「それから数えても三十年でござる」

「さぞかし御苦労をなさったことと存ずるが……」

「まあ人並みに辛苦を味わいましたが……」

自分は定廻りの仕事が性に合っていたと話し出した。

「今にして思えば、夜も昼もない仕事の日々でございました。非番とはいえ、何事かあれば、即座にとび出して参らねばならず、気の休まる暇とてありませなんだが……」

ちらとあたりの客に目をくばったのは、下馬廻りや町会所掛とは違うといいたげな表情であった。

「神林どのは、畝源三郎からお聞きと思いますが、この世の中、必ずしも悪人が悪事を働くとは限りません。極めて平凡な日常を送っていた者が、なにかのはずみに悪に手を染めることもあれば、人に陥《おとし》れられて無実の罪を着るものもある。出来るものなら、それらをつまびらかにして助けてやるだけの値打のある者は少々、法に触れても助ける。その重く罰するべきは罰する。そのあたりが難かしゅうござる。従って人情にも通じ、人の心の底をみきわめることの出来る人材が定廻りには必要かと存ずる」

東吾はうなずいた。

「仰せの通りと存ずるが、人が人を裁くのが難かしいように、人が人のしでかしたことを裁量するのもまた困難なものではありませんか」

相手は東吾の言葉を聞いていなかった。

「定廻りは人数が足りませぬよ。江戸は人が増える一方、奉行所の支配地も慶長の頃の倍近くにふくれ上って居ると申すに、定廻り同心は六人、臨時廻りを加えても十二人、これで、いったい何が出来ます」

彦左衛門の声が高くなり、それまで各々に話がはずんでいた客達がいっせいに注目した。

それをみて、東吾はすばやく一礼した。

「御高説、たしかに拝聴致した。では一献……」

すかさず、近くにいたらしい畝源三郎が歌い出した。

「めでた、めでたの若松様よ」

危っかしい節廻しに、すぐ力強い助勢が加わった。

「枝もさかえりゃ、葉も茂る」

その歌の主は、五十がらみの小肥りの侍であった。朗々とした声と見事な節廻しが一座を圧倒し、歌い終って、

「本日は、まことにおめでとうございました」

と頭を下げたのがきっかけになって、客はいっせいに挨拶をし、祝宴はおひらきとなった。

帰りは畝家のある組屋敷のほうを廻って、東吾が源三郎を送る恰好で連れ立った。

「助かったよ。源さんの調子っぱずれな若松様よが始まらなかったら、祝宴変じて議論になるところだった」

夜風の中で東吾が苦笑し、源三郎が首をすくめた。

「東吾さんがまともに相手をするとは思いませんでしたがね。御高説が続くと座が白けますし、話が公けになっても困ります」

隠居した者が奉行所を、ひいては御公儀を批判したことになる。

「まあ、俺も、定廻りが六人というのは、どうかと思うがね」

南北の二つの奉行所を合せても十二人であった。臨時廻りも同じく南北で十二人だから二十四人、それが月交替で江戸の町を廻り、法を犯す者を取り締り、犯罪の捜査や逮捕を行っている。つまりは、彦左衛門がいうように月ごとにいえばその半分の十二人になった。

「我々だけではとても足りませんが、手足になって働いてくれる長助《ちょうすけ》のような者たちがいます。手前は東吾さんや本所の宗太郎《そうたろう》どのも力になってくれますし、まあ、恵まれているほうですから……」

源三郎がいうように、定廻りの旦那にはその手札をもらって常に町内に目を光らせている岡っ引の存在があるし、町役人や町名主の協力もある。

「それより、源さんの歌の助っ人をした仁は何者なんだ」

見事な歌いぶりが祝宴の締めくくりになった。

「あちらは原久蔵どのといわれて、町火消人足改役の同心です。たしか、原どのも今月限りで隠居されるときいています」

職務が違うので、そうしばしば話したことはないが、

「噂では、大層な趣味人だそうですよ」

という。

「そうだろうな。あの声、あの節廻しは年季が入っているよ」

謡曲か、或いは内々で清元などの音曲を習ったことがあるかも知れないと東吾はいった。

「彦左衛門どののいうことももっともですが、悴の祝言の席で口にするべきではありません。そのくらいのけじめはついていたと思うのですが……」

どうも隠居をしてから人柄が変ったような気がするという畝源三郎を屋敷の前まで送って、東吾は大川端へ帰った。

三日ほどして東吾は軍艦操練所の帰りに兄の屋敷へ寄った。

今月は北町奉行所が月番なので、神林通之進《みちのしん》が属している南町奉行所では吟味がない。

そういう月は次の月の吟味の下調べなどを行うので、決して遊んでいられるわけではないが、仕事によっては屋敷へ持ち帰ってもよいものもあり、月番の月にくらべると、かなり融通がきく。

果して、通之進は屋敷に戻っていた。

久しぶりに訪ねた東吾の顔をみて、

「随分と色が黒くなったな」

と笑う。

「先月、軍艦に乗っていて焼けたのです」

たしかに色白の兄の手とくらべると白と黒という感じがする。

元来、仲のいい兄弟だから、兄は弟の話を聞きたがり、弟はなにもかも兄に洗いざらいぶちまける。

で、今日もひとしきり話がはずんでから、

「先日、新田家の祝言に招かれて行って来ました」

彦左衛門に議論をふっかけられて当惑していたら、源三郎が調子のはずれた祝い歌を歌い出し、それを補った原久蔵という仁の声が実によかったというと、茶を運んできた兄嫁の香苗《かなえ》が口をはさんだ。

「原どのならば、すぐ裏ですよ」

神林家の裏門を出た斜めむかいに家があるといった。

「あちらは遅い子持ちで、娘さんがたしか東吾様と同い年のように聞いて居りましたが……」

一人娘のおそのというのが養子を取って、夫婦の間に孫息子がいる。

与力と同心と身分が違うが、近所のよしみで神林家から到来物のおすそわけなぞがあり、原家からは久蔵が釣った魚などが届けられるらしい。

「あの仁は釣りにも堪能なのですか」

通之進が笑った。

「先日、隠居するに当って挨拶に参ったが、その折に申していたぞ。大川端のかわせみのあたりは海水が上って来るので海からの魚が実によく釣れるとか。其方も昔、よくあの附近で釣りをしたようだが、別に台所方を驚かせるほどの大物を釣り上げたとは一度も耳にして居らぬが……」

「大方、原久蔵が残らず釣り上げた後だったのでしょう」

兄弟は声を上げて笑い、それから弟は好物のまくわ瓜をたらふく食べて兄の屋敷を出た。

思いついて門の周囲を廻って裏門へ出る。

兄嫁のいったように筋むかいに同心の家らしいのがあって、門から琴と尺八の合奏が聞えて来た。

町奉行所の同心は三十俵二人扶持、他に余得があるといっても、身分からいえば極めて軽輩に当る。それでも風雅に暮す者はあるのだと、東吾は小柄でふっくらした原久蔵の面立を思い浮べた。

三

「かわせみ」へ帰って来て出迎えたるいにその話をすると、

「原様なら存じて居ります。あちらは私と同じ一人娘で御養子をお迎えになった筈ですけれど……」

尺八を奏していたのは、確かに父親の久蔵かも知れないが、琴を弾いていたのは、娘ではないとるいはいった。

「おそのさんは私と一緒にお琴の稽古にいらしたのですけれど、どうしても音曲は好きになれないとおっしゃって、一日でやめてしまわれましたの」

何故、そんなことを記憶しているかといえば、

「普通、お稽古事をやめる時は才能がないからとか、自分にむいていないとか申しますでしょう。好きになれないというおっしゃり方が何か強い印象でございましたの」

「それじゃ、御新造かな」

「いえ、原様の御新造はもうだいぶ以前にお歿《なくな》りになっていますわ」

夫婦の会話がそこまでだったのは、千春《ちはる》がそれまで遊び相手をしていたお吉の手を離れて、

「父様《ととさま》、お船のお話……」

と東吾の脇へすわり込んだからである。

このところ、千春は父親から船や海の話をしてもらうのを、なによりのたのしみにしている。で、東吾も原久蔵宅から聞えて来た琴と尺八の合奏について、それ以上、深く考えなかった。知り合いが来て一緒に演奏していたのかも知れないし、るいはああいったが、案外、その後、おそのという娘の気が変って琴を習ったということもないわけではあるまい。

月が替って、東吾が講武所からの帰り道、日本橋川の岸を歩いて来ると、川っぷちで畝源三郎が若い女に取りすがられたような恰好で立ち往生しているのに出会った。

「どこの色男かと思ったら、源さんか」

といいかけて、東吾は途中で言葉を呑み込んだ。娘の表情が追いつめられていて、ひどく暗い。それに近づいてみると、それは新田大一郎の妻になったばかりの絹江であった。

東吾の顔をみて、源三郎は軽くうなずいてから、絹江にいった。

「とにかく、この金子《きんす》は手前がおあずかりして、間違いなく、各々の所へ返却して来ますから、貴方はこのまま屋敷へお戻りなさい」

絹江が深く頭を下げた。何をいう気力もないといった様子で、東吾にもお辞儀をし、とぼとぼと組屋敷のほうへ帰って行く。まだ新婚早々というのに、化粧っ気もなく、やつれて青ざめた顔が東吾の瞼に残った。

「実は、彦左衛門どのが、旧知の商家を廻って、金を受け取っていることが評判になりまして、このままではとんだことになると、大一郎どのの実家と嫁の実家が金を出し合いましてね。それを絹江どのが持って、返しに廻ったそうですが、どこでも受け取らなかったのです」

　それはその通りで、渡したほうはあくまでも隠居祝だと主張する。実際、金を出した者の中には純粋に祝金と考えたのもいたに違いない。今更、嫁が返しに来たといわれて、おいそれと受け取れるものでもなかった。

「いったい、一軒でどのくらい包んでいるんだ」

「絹江さんの話だと、彦左衛門どのはそうした祝金を神棚に供えておくので、大一郎どのがひそかに調べたところ、おおむね、一両のようです」

　奉書に小判一枚を糊で貼《は》りつけて包んであるのが、当時のやり方であった。

「彦左衛門どのは三十年も定廻りを勤め上げられたんだ。その人が退任したから、長年の礼心に一枚包んだって、どうということはないだろうに……」

　と東吾はいったが、こういうことは表沙汰になると、やはりまずい。

「番太郎が年をとってやめる時にだって、町内でそのくらいは包むだろう」

　源三郎が苦笑した。

「とにかく、今度の場合は返却したほうがいいと手前も思います。これから一軒一軒、わけを話して金を返して来ます」

日本橋川の夕暮の中をそそくさと出かけて行く友人の後姿を見送って、東吾はなんとなく、絹江の去った方角へ足を向けた。

あの様子では無事に屋敷へ戻ったか、少々、心もとなく思えたからだったが、亀島川に沿った道へ出たとたん、前方で女の悲鳴が上り、男が二人、どちらも抜刀して露地から走り出て来るのをみた。

一人は新田大一郎、もう一人は新田彦左衛門と見極めた時、東吾は素早く二人の間に割って入っていた。

「大一郎、血迷うな。刀を退《ひ》け。退けッ」

よろよろと大一郎が後に退り、東吾は彦左衛門の手から刀を奪い取った。

「御老体、落つかれよ。武芸の稽古なら道場でなさることだ」

彦左衛門は東吾をみて、我に返ったようであった。

大一郎には絹江がとりすがっている。

「ここでは人目に立ちます。御屋敷へ同行致そう」

「神林どの、面目ない。たかの知れた親子喧嘩、どうか、御放念下さい」

丁寧に頭を下げて、東吾の手から刀を取り返し、鞘におさめると蹌踉《そうろう》として屋敷のほうへ去った。

「先生、お恥かしゅうございます」

大一郎が腹の底から絞り出すような声でいった。

「義父《ちち》は、手前がいくら申しても勝手な町廻りをやめません。定廻りの仕事は手が足らぬ。老いたりといえ、まだお上のお役には立つと申しまして……」

たまたま、訪ねて来た絹江の父の佐倉藤十郎が言葉を尽していさめると、

「突這《つくばい》同心に何がわかる、と罵ったのでございます」

佐倉藤十郎は吟味方同心であった。

与力の吟味方はいわば町奉行所の花形だが、吟味方同心は吟味場の下段、いわゆる砂利を敷いた所へ容疑者をひき出す役目なので、上へはあがれず、別名を突這同心と呼ばれた。

砂利に這いつくばって、という意味の蔑称である。かりそめにも同心の間で口にしてはならない言葉でもあった。

「手前は絹江の父になんと申してよいか」

その場はとりつくろい、帰ってもらってから改めて、彦左衛門に佐倉藤十郎の所へあやまりに行ってもらいたいと談判して、遂に口論となり、双方、刀を抜くことになってしまったと大一郎は訴えた。

「手前は新田家を出たいと思います。義父は手前が町会所掛に就任したのも気に入らないのです。定廻りでなければ人にあらずと思っているようで……」

流石《さすが》に東吾は途方に暮れて亀島川を眺めた。

吟味方が与力職の花形であるように、同心の花形は三廻りと呼ばれる定廻り、臨時廻り、隠密廻りであった。

長年、定廻りを勤め上げた彦左衛門がそれにこだわるのも無理はないと思いながら、東吾は大一郎にいった。

「俺は仕事柄、時々、練習艦に乗るのだが、船の仕事というのも種々雑多でね。例えば、号令一下、帆を張るなんてのはみていて華やかというか実に見栄えがするもんだ。しかし、その帆をたたんで収納する作業は厄介で根気が要る。みていたって別に面白くもなんともない。けれども、きちんとたたまれていない帆は、決してするするとは上って行かない。沢山の帆が各々、位置する所に張りめぐらされて、はじめて帆船は海をすべるように進んで行くんだ」

大一郎夫婦はひっそりと肩を落して東吾の話を聞いている。

「航海中に嵐に遭ったことがあった。乗組員の飯の支度をする奴が波にさらわれそうになった鍋を死物狂いですくい上げようとしている。俺達は二、三人でそいつを助けるのに必死になった。冗談じゃねえ、鍋の一つぐらい命とひきかえに出来るかと、その時はそう思った。ところが、嵐で流されて船は七日も陸にたどりつけなかったんだ。もし、鍋が流されちまっていたら、俺達はどうやって飯を食った。そいつはたった一つの鍋で飯を炊き、汁を作って我々の命を助けてくれた。今更、俺がいうほどのことじゃあねえが人間の仕事にはどれが立派で、どれが立派じゃねえといえない所が、俺は好きなんだ」

町会所掛の仕事というのは、いざ凶作という時に備えて、町会所が用意している金や、囲籾《かこいもみ》といって、日頃から糧米の備蓄をするのを監督する役目だろうと東吾はいった。

「早い話、明日にも大地震や大火事が起った時、江戸の人々が早速、すがりついて来るのは、あんた達の力だ」

日頃は帆をたたむような地道な仕事だろうが、いざという時の働きは、定廻りに勝るとも劣らない。

「そんなことは彦左衛門どのにしても、百も承知だ」

承知の上で、老人は若い者に自分のかつての栄光を誇りたい。

「親が倅に自慢話をしているんだ。素直に聞いてやればいい」

それでも突這同心なぞといい出したら、定廻りの旦那が苦労して捕えてきた罪人を、しっかり御白洲にひきすえておく者がいなかったら、お調べは進まない。なんなら定廻りの旦那が吟味方同心をも兼ねますかといってやるといい、と東吾が苦笑し、大一郎夫婦が漸《ようや》く、表情を和らげた。

四

暫くの間、東吾は新田家のことを心配していた。

大一郎は剣の弟子ということもあって、なんとかなだめたと思うが、絹江の実家はさぞかし立腹しているに違いない。

で、畝源三郎に訊いてみると、今のところなんとかおさまっているらしいという。

もっとも、彦左衛門は勝手に町を廻っているのだが、番屋のほうもわかっていて、湯茶のもてなしぐらいはするが、なるべく相手にならないでいるし、昔馴染の商家では、定廻りの旦那方からお達しが廻っているので、日常の挨拶などはしても、金を包むのは慎んでいる。

別段、彦左衛門が金をよこせといったわけではなく、普通に応対して世間話をしていれば、適当に帰るし、同じ家に度々、行きもしないので、こちらのほうも一応、波風は立たなくなっていた。

「最初から、こうだとよかったのです。なまじっかの心遣いが裏目に出たといいましょうか」

源三郎はそういったが、本来、定廻りをつとめる者の中には、役目をかさにきて、横柄なものいいをしたり、人の弱味につけ込むような振舞をする者もいる。彦左衛門にしても現役時代には多少、そうしたところがあったと考えてもよいので、だからこそ、商家側がよけいな気を廻したに違いない。

「みんながみんな源さんのようだとは限らないからな」

「かわせみ」で東吾はいささか気の重い顔で新田家の話をした。

江戸は一日一日と秋の気配が濃くなって、深川から長助が、

「まだ、ちょっと早すぎて香が足りねえようですが……」

と秋蕎麦粉を届けに来たので、東吾はふと思いついて原久蔵の釣りの話をした。

「なんでも、永代橋のこっち側で海の魚がごまんと釣れるというんだが……」

兄の屋敷へ原久蔵が持ち込んだ魚の中には大きな鯛まであったと東吾がいうと、長助が困った顔をした。

「まあ、鱚《きす》や鯔《ぼら》なんぞは、よく針にかかりますが……」

「鱚や鯔なら、俺だって釣ったことがある。いったい、原久蔵は、どのあたりで釣っているのかな」

長助が、ぼんのくぼに手をやった。

「まあ、釣り場と申しましても、いろいろございますから……」

長助にしては、せい一杯のなぞかけを、東吾はうっかり聞きのがした。

で、数日後、畝源三郎が「かわせみ」の宿帳改めにやって来た時、また、その話をした。

源三郎が熱心に訊いてくる東吾の顔をみて眩《まぶ》しそうな目をした。

「手前もくわしくは知りませんが、明石橋の近くだと聞いたことがありますよ」

「明石橋だと……」

軍艦操練所のあるのは、西本願寺から本願寺橋を渡って南小田原町を通り抜けた大川の河口であった。そこからは大川というより、海がひらけてみえる。

そして、大川に沿って軍艦操練所より上へ行くと南本郷町、上柳原町、南飯田町と続いて、南飯田町から明石橋を渡ったところが明石町。無論、大川のへりでやや上流に佃島《つくだじま》が眺められる。

明石橋は俗に寒橋《さむさばし》とも呼ばれていた。なにしろ海からの風が冬は殊の外、冷たい大川の玄関口にある小橋なのである。

「あそこなら、鯛が釣れるのか」

ぽつんと呟いた東吾に源三郎が笑った。

「まあ、腕次第ですな。下手に釣り場を荒らすと原久蔵どのに怨まれますよ」

「冗談じゃねえや。もう久しく釣りに出かける暇もねえんだ」

講武所と軍艦操練所とかけ持ち勤務の上に八丁堀の道場にも顔を出す。

「おまけに源さんの捕物の手伝いに、千春の子守だろう。体がいくつあったって足りやしねえ」

「人間、忙しい中が花だそうですよ。隠居して土いじりをしてみるとよくわかるといいますからね」

「彦左衛門もいい加減、土いじりでもはじめりゃいいんだがな」

「大一郎どのが嘆いていましたよ。なにしろ無趣味、無道楽で五十年間生きて来た仁なので、隠居したからといって、他にすることもみつからないのだと……」

「源さんもそうならないように、謡曲とか、ぐっと小粋に清元とか習ってみることだな」

傍にいたお吉が笑い出した。

「畝の旦那が清元なんて、馬が念仏となえるようなもんじゃありませんか」

「そりゃあ、東吾さんも同じですよ」

「俺はもう少し暇になったら、色っぽい師匠をみつけて稽古に行くさ」

「おるいさんに聞えたら大事《おおごと》ですよ。ま、二人とも年をとって暇になったら、昔のようにはさみ将棋でもやりますか」

「よし、その時は相手をしてやる」

「東吾さんに負けるとは思いませんよ」

律義に宿帳改めをすませて出て行く源三郎を見送って、嘉助がいった。

「八丁堀の旦那方にも、いろいろございますよ。畝の旦那や殁られた庄司の旦那様のように仕事一筋のお方もあれば、要領よく道楽をなさる方もおありで……」

お吉も昔を思い出す顔になった。

「そういや、こちこちの堅物だとばかり思われていた旦那で、吉原の妓をひかして囲ってなさるのが表沙汰になって大さわぎをしたことがございましたよ」

「そいつは豪傑だな」

しかし、東吾も知っていた。八丁堀の組屋敷に住む与力、同心の中には妾を同居させている者が少くないらしいということをである。

大方は、表むき女中とか側仕えといった名目でお上に届けて平然としている。

「うちの兄上や、源さんには所詮、無理だがな」

そんな話をして間もなく、東吾はいつもより早く軍艦操練所へ出仕した。

近く練習艦に乗る準備のためだったのだが、いつものように高橋を渡って大川沿いに十軒町まで来たところで、むこうからやって来る原久蔵を認めた。

手に釣竿と魚籠を提げているので、

「釣りですか」

と声をかけると、

「いやいや、とんと、不漁で……」

顔の前で大きく手をふって行ってしまった。

で、そのまま十軒町から明石町へ出て明石橋を渡ろうとすると、どこか近くの家から琴の音が聞えてきた。この前、原家の外で聞いたのと同じく、尺八との合奏である。

この附近は町屋なので、どこか隠居所のような所で琴や尺八を楽しむ人があるのかと東吾は橋を渡って、まっしぐらに軍艦操練所へ行った。

そして、また数日。

長助が今度こそ、この秋一番の出来という蕎麦粉を届けて来て、東吾はそれを持って兄の屋敷へ出かけた。

蕎麦は兄の好物の一つで、通之進が長助の届ける蕎麦粉をたのしみにしているのを知っていたからである。

その兄はまだ奉行所から戻って居らず、兄嫁が出迎えたのだったが、

「御存じですの。その先の原どののことですけれど……」

眉をひそめるようにして告げた。

「原久蔵が、どうかしたのですか」

「女の人を殺して、御自分も切腹したのだとか……」

「なんですと……」

「私も、今しがた、女中から聞きましたの」

下働きのお君というのが近所の噂を耳にして、香苗に報告したらしい。

「今、用人が様子を訊ねに参りましたの」

その用人が戻って来ての話では、久蔵が殺害した女というのは琴の師匠で、父親は日本橋で尺八の師匠をしている。つまり、久蔵は父親の所へ尺八の稽古に行っていて、その娘とねんごろになり、明石町に妾宅を与えて、時々、通っていたという。

「女には、別に男がいたようです。原久蔵が奉行所へ出仕して居ります間は、そう度々も妾宅へは通えず、女がうまくやりくりをしていたようなのですが、隠居となってからは入りびたりとなり、また、女に組屋敷のほうへ参って暮さぬかなぞと申したそうです」

女の気の進まないのをみて、原久蔵は疑いを持ったらしい。

「しかし、組屋敷のほうへ来いというのは何故ですかね。娘夫婦にも大っぴらで同居する気だったのか」

東吾がいい、香苗が手を小さく振った。

「あちらは、お聟さんが横浜掛《よこはまがかり》になられてずっと横浜に御滞在ですの。娘さんが時々、身の廻りのお世話に横浜へいらっしゃって、お二人ともお留守のことが多いのです。ですから、つい御不自由で、そのようなことをいわれたのではありませんか」

「そうでしたか」

あれは鬼のいない間に女を呼んで、仲睦まじく琴と尺八の合奏をしていたのかと東吾は可笑《おか》しくなった。

「おそらく女の相手の男というのは久蔵よりも若いのでしょうな。女にしたら、たまにやって来るのならまだしも、そう、のべつべったりではやり切れない。逃げ腰になったと知って、久蔵はかっとなったのかも知れませんね」

凶行があったのは昨日のことで、今日、横浜から帰って来た娘が二人の死体をみつけて大さわぎになっているらしい。

兄の屋敷で聞いたのは、その程度だったのだが、帰りに足をのばして長寿庵まで行ってみると畝源三郎がいた。

無論、原久蔵の事件は知っている。

「原久蔵の釣り場というのは明石町の妾宅のことだったのか」

東吾が口惜しそうにいい、長助がたて続けに、ぼんのくぼをかいた。

「東吾さんは鈍感ですよ。手前も長助も随分と謎をかけたのに……」

「釣りを口実に妾宅通いをしていたのか」

「養子の武之助どのが横浜掛になったのは、つい二カ月前のことで、それまでは夫婦揃って組屋敷にいたわけです。久蔵どのはとりわけ娘のおそのどのに気を使っていたようですな」

「兄上の所へ持って行った魚は……」

いいかけて東吾は笑い出した。

「魚屋で買ったんだな。道理ででっかい鯛も釣れるわけだ」

源三郎がうつむいた。

「瓦版が書きたてなければよいと思いますよ。久蔵どのとて人間です。しくじりがあっても仕方がありません」

といって賞められることでもないと源三郎は重い微笑にまぎらわせた。

「歌が上手いなんて賞めなけりゃよかったよ」

その友人の肩を軽く叩いて、東吾は冷え加減の徳利を取り上げて酌をしてやった。

長助が香のよい秋蕎麦を威勢よく運んで来る。土間で細く虫の音が聞えていた。

江戸《えど》の湯舟《ゆぶね》

一

本所深川は水路の町であった。

大川と中川を東西に結ぶ小名木川《おなぎがわ》を中心にして永代橋側には仙台堀、両国橋側には竪川が通っている。その三本の川筋と交叉して南北に横川、横十間川があり、更に小名木川と竪川を六間堀がつなぎ、六間堀から東へ向ってじぐざくに五間堀が穿《うが》たれている。

そして、もっとも水路が輻輳《ふくそう》しているのは深川で、これはもう永代寺、富岡八幡宮をめぐって、町という町の殆んどを川が複雑に取り巻いている。

夏の夜更け、神林東吾と畝源三郎が深川の、もっとも海側を流れる大島川のふちをやって来たのは、旧友の十三回忌の法要のあと、永代寺門前の料理屋で供養の席に連なったからであった。

時刻はおよそ五ツ半（午後九時）、門前町のほうは茶屋や料理屋が軒を並べ、深川の岡場所をひかえているから、まだ人出も多く、絃歌も聞えて賑やかだが、裏側の大島川沿いの道は、人影も少い。

二人とも提灯を提げていたが、月が中天にあってあたりはほんのりと明るかった。

「源さん……」

ふっと東吾が友人の袖を引いた。

前方の岸辺に舟が舫《もや》っている。やや大きめの屋根舟で、月明りでみたところ舟の上に小屋のようなものが載っていて舳《へさき》に向いたところに簾《すだれ》がかかっている。その簾をめくり上げるようにして女が出て来たのだが、これが素っ裸であった。

別に人目を気にする風もなく手拭で体を拭き、舟の屋根にかけておいた浴衣《ゆかた》をするりとまとった。

「湯舟ですよ」

立ち止った東吾をふりむいて源三郎がいった。

「御存じありませんか。舟の湯屋《ゆうや》です」

東吾達のいる所から舟までは少々の距離があったが、声は聞えたのだろう。舟の上の女が体をむけた。手拭を口にくわえ、浴衣の前をざっとかき合せた恰好でこっちを眺めている。

「行きましょう、東吾さん。のぞき見をしていると思われますよ」

低声《こごえ》で源三郎がいい、そのまま、岸辺の道を行く。

舟は岸辺との間に踏み板が渡してあって、そこに船頭らしいのが石に腰を下して煙草を吸っている。舟の上の小屋には格子を打った窓があって、そこから白く湯気が上っていた。

「あれが湯舟か」

舟の前を通りすぎてから、東吾が呟いた。

「東吾さん、はじめてですか」

「話には聞いていたが、見たのは最初だよ」

「別に珍しくもありませんがね」

本所深川は埋立地なので、少々掘るとすぐ水が出る。それが塩分を多く含んだものなので、井戸を掘っても殆んど使いようがない。

通常、湯屋は井戸がないと困るので、殊に深川には湯屋が極めて少なかった。

その代り、水路を利用した湯舟というものが繁昌した。

要するに舟に据風呂《すえぶろ》を積み、板囲いをしたもので、入口をくぐると舟の幅一杯に洗い場があり、その奥に据風呂がおいてある。

客は舳のところで衣類を脱いで、丸裸で洗い場へ入り、湯浴みが終ると、また、その恰好で外へ出て来て体を拭き、衣類をつける。

「この季節ですと、男は大抵、下帯一本でやって来るようですよ」

道の角へ来て、まがる時に源三郎が川のほうを眺めた。褌《ふんどし》一本の男達が三人、湯舟へ踏み板を渡って行く。女の姿はみえなかった。

「まあ、大店《おおだな》の主人なぞは来ません。木場の連中とか、職人、武家奉公をしている中間《ちゆうげん》、小者といったところが重宝しています。女は裏店住いの内儀《かみ》さん連中、といってもあまり素人はいないようですよ」

この節、江戸の湯屋はお上がやかましくなって、男湯と女湯を分けているが、湯舟ではそうも行かず、入れ込みなので若い女は敬遠すると源三郎は定廻りの旦那の博識ぶりを披露した。

「さっきの女は、なんだろうな」

「この時刻ですからね」

いわゆる水商売の女達は稼ぎ時だ。

「まあ、職人の女房とか、行商の女とかが汗を流しに来たのかも知れませんよ」

湯舟の講釈の割に、女の鑑定には自信がないらしく、源三郎はそそくさと永代橋をめざした。

大川端の「かわせみ」へ帰って来て、早速、東吾は湯舟の話をした。

が、感心して聞いてくれたのはるいだけで、嘉助もお吉も、

「おやまあ、若先生は今まで湯舟をごらんになったことがおありなさいませんでしたか」

「あんなものは、夜の川筋をあるけば、必ず、一艘や二艘は舫っているもので……」

二人が口を揃えて小馬鹿にする。

「湯舟の船頭といいますのは、けっこうきつい商売のようでございますよ。夏場はまだしも、冬は始終、風呂釜の下を焚きつけなけりゃなりませんし、湯に入っている連中は極楽でしょうけど、船頭は吹きっさらしで……」

「以前、湯舟には顔剃屋が居りまして、湯に入ったあと、頼めば月代《さかやき》まで当ってくれたものでございますがね」

「たしか、湯舟ってのは、六日目ごとに廻って来るんじゃありませんでしたかね。今度、長助親分に訊いてみましょう」

などと蘊蓄《うんちく》を垂れる。

それにしても、お吉はもとより、嘉助も湯舟へ入ったことはないようであった。

「まあ、湯屋のない土地だからの方便で、他の土地では流行《はや》りません」

と笑っている。仕方がないので、るいと二人になってから、

「女だったんだぞ。素っ裸で舳へ出て来やがってさ」

といいかけたとたん、

「いやな方。そんなものをかくれてのぞき見なさるなんて……」

ぐいと睨まれた。

翌日、東吾が講武所から帰って来ると、居間には娘のお千代《ちよ》をつれた畝源三郎の妻の

お千絵《ちえ》が来ていた。向い合っていたるいと、女二人が東吾の顔をみるとくすくす笑う。

「まあ、お帰りになったのにも気がつきませんで……」

と手を突いてあやまりながら、やっぱり、可笑しそうな表情をかくせない。

「なに、来客と聞いたから、嘉助に声をかけるなといったんだ」

大刀を渡しながら、

「なにか、面白いことでもあったのか」

と訊くと、

「昨夜、湯舟をごらんになったとか」

お千絵がいった。

「源さんが目の保養をしたといったのか」

と答えたとたん、女二人がぱっと目を見合せて、

「やっぱり、若いひとだったのでございますよ。皺《しわ》くちゃの婆さんだったなどと、嘘ばっかり……」

「本当に殿方と申すものは、いい年をして」

忽《たちま》ち、雲行きがあやしくなった。

「よせやい。湯舟の女に出会ったくらいで、とんだいわれようだぜ」

次の間で着替えをはじめると、乱れ箱を持って来たるいが、

「畝様は、今朝から、その湯舟のことで、とび出していらっしゃいましたのですって」

真顔になって告げた。

「なんだと……」

「なんでも湯舟で人が殺されたとか……」

「それが、昨夜の女なのか」

お千絵が小さく笑った。

「どうしても、昨夜の女がお気になりますのね」

「違うのか」

「殺されたのは、男の人らしゅうございますよ」

「男か」

どうも女二人に体よくあしらわれていると苦笑して、東吾は離れに退却した。

翌日、東吾は軍艦操練所の帰りに深川へ出て、長寿庵へ寄った。

いい具合に長助は店にいて、

「毎日、お暑いことで……」

いそいそとんで来た。

「湯舟で殺しがあったんだって……」

東吾が訊き、長助は気色の悪そうな顔になった。

「それが若先生、どうにもこうにも……」

暑さしのぎにと、酒と鉄火味噌を運んで来て勧めた。

「場所は小名木川の猿江町、五本松の手前のあたりでして……」

時刻は四ツ（午後十時）を廻っていたらしい。

「猿江町に住む畳職人の伍助と申しますのが、あんまり暑いんで寝るに寝られず表へ出て団扇を使っていて、小名木川に湯舟が来ているのに気がついて、早速、とんで行ったと申します」

船頭の姿はみえなかったが、かまわず舟へ乗って入口をくぐったとたんに何かに蹴つまずいた。

「伍助の奴は、誰か湯当りでもしてひっくり返っているのかと思ったそうですが、どうもおかしい。そこへ同じ長屋の徳之助というのが、こいつは船頭ですが、仕事をすませて帰って来たんで、声をかけて、徳之助の提灯で湯舟の中を照らしてみたとたんに思わず腰をぬかしちまった。つまり、その、湯舟の船頭の権爺というのが死んで居りましたんで……」

大さわぎになって、舟からひっぱり上げられた死体は、胸をおそらく出刃庖丁のようなもので一突きにされて居た。

「実は知らせが来まして、あっしがとんで行ったんですが、奇妙なのは、船頭が素っ裸でして……」

「湯舟の船頭が湯に入っているところを殺《や》られたってことか」

「ですが、権爺の住居は業平橋の近くなんでして……」

もしも、仕事の終りに汗を流そうというのなら、自分の家の近くまで行ってからにするだろうと長助はいう。

「五本松から業平橋まで漕いで行ったら、また一汗かくことになります」

「そりゃあそうだな」

金をめあての人殺しにしては、湯舟で稼ぐ銭はあまりにも僅少で、そのために人を殺すとは考えにくい。

「湯舟の屋根に権爺の腹掛がかけてありまして、その中には二百文少々の銭がございました」

湯舟の湯銭は、湯屋よりも安くて、せいぜい一人五文程度だから、おそらくそれが一日の稼ぎだろう。

長寿庵の入口に人影が立った。

「やあ、東吾さんですか」

若党を供に連れていないところをみると町廻りの途中というわけではないらしい。畝源三郎が汗を拭きながら入って来た。

「小梅村の名主から、ちと耳よりな話を聞きましたので、長助に話しておこうと思いましてね」

湯舟で殺された権爺、本名は権助だが、

「若い時分は日本橋、神田界隈の湯屋で働いていたのが、五十を過ぎて生まれ故郷の小梅村へ戻って来て、湯舟の商売をはじめたと申すのです」

長助と東吾と、二人を等分に見ながら、源三郎が話をした。

「女房子は居らず、老いた母親も昨年、歿っているらしいことで、その頃、まだ健在だった権助の父親が、名主に、どうも飽きっぽくて同じ湯屋で辛抱が出来ない、一つ湯屋に長続きせず、転々と働く店を替っていることですが、気になるのは、なんとか量見を入れかえるよう叱言《こごと》をいってもらえないかと頼んだことがあるそうです」

東吾が友人の表情を窺った。

「源さんは、権助が湯舟をはじめる以前の暮し方に、殺された理由があると考えているのか」

「そこまではわかりません。ただ、なんとなく気になるのです」

長助が早速、合点した。

「権助が小梅村へ戻って来る以前、働いていた湯屋を調べて参ります」

「暑い所をすまないが……」

「とんでもねえことで……」

張り切っている長助を残して、東吾と源三郎は外へ出た。

「どうも、湯舟で女をみたといったばかりに、あっちこっちでからかわれたよ」

永代橋へ向いながら東吾がいい、源三郎が笑った。

「まあ、八丁堀には湯屋がありますし、川のこっち側は湯舟とあまり縁がないですからね」

「湯舟というのは、入れ込みだろう」

いわゆる男女が混浴となる。

「きわどいことなんぞはないのか」

「それはあるでしょう」

ただでさえ、せまい洗い場と据風呂である。

夏の湯舟には、大盥《おおだらい》をおいて行水が主となっているものもある。

「一度に何人もが入っていればまだしも、それでも男の手というのは行儀の悪いものらしいですからね」

源三郎が柄にもないことをいって東吾をみる。

「ですが、湯舟へ出かけるほどの女は威勢がいいですから、触られて黙ってなぞいませんよ。大声でどなりつけるか、ひっぱたくか、まあ、賑やかで、あっけらかんとしたもののようですが……」

大体、裏長屋での庶民の暮しは、夏ともなれば男は褌一本、女は湯もじ一枚で過すことが珍らしくない。

「裸を見馴れているといいますか、思うほど、いかがわしいことはないと聞いていますす」

「お上が湯舟を取り締らないのは、そのためか」

江戸の湯屋では男女入れ込みは御法度になっている。それからすれば、湯舟は例外であった。

「本所深川の連中は湯に入るな、ともいえませんからね」

もっとも、本所深川に全く湯屋がないわけではなかった。

武家屋敷では内風呂を持っているし、井戸を掘って真水の出る場所もある。

問題になるのは、海沿いのあたりとか、埋立ての急に進んだ東側の部分であった。

「なにしろ、本来、町屋にはどうかという所まで家が建ち並ぶようになりましたからね」

永代橋の上からは、江戸湾がよく見渡せた。

一日中、じりじりと照りつけた陽が西へ傾きかかっている。

二

それから二日後、東吾が兄の使で本所の麻生家へ届け物をしての帰り道、深川佐賀町の番屋の戸があいていて、そこに畝源三郎と長助の姿がのぞけた。番屋の外には野次馬がたかっていて、番太郎が大声をあげて追い払っている。となると、そのまま通りすぎることの出来ない性分で、東吾は番屋へ入って行った。

長助の前に大工だろう若い男が小さくなって居り、傍に親方らしいのが、つき添っている。

源三郎がちらりと東吾をみたが、そのまま取調べを続けた。

「すると、其方が権助の湯舟へ参ったのは五ツ半頃と申すか」

若い男が小さくなってお辞儀をし、

「親方の家を出ましたのが、五ツ（午後八時）過ぎでございましたから、間違いはねえと思いますんで……」

消え入りそうな声で答え、親方がそれに同意するように頭を下げた。

「弥吉の申しますことに、相違ございません。たしかに、五ツの鐘を聞いて間もなく、手前共から帰りましたので……」

「帰り道に、湯舟へ立ち寄ったのだな」

「へえ」

「其方が入った時、権助はいたか」

「へえ、湯銭を渡しまして……」

「権助は何か申したか」

「今夜も蒸すとかいうようなことを……」

「湯舟へ入った時、相客はいたか」

「へえ、二人ばかり……」

「顔見知りか」

「近所の衆で、植木職の甚平とその悴の勘太で……」

「二人はいつ頃まで湯舟に居った」

「あっしが入ります時、ちょうど入れかわりに出まして……」

「あとは、其方一人か」

「へえ」

長助がすかさずいった。

「お俊が来たのは、その後だな」

弥吉が真赤になり、親方がぼんのくぼに手をやった。

その時、番屋の入口から番太郎がなかへ声をかけた。

「布袋屋から、お俊が参りました」

みるからに女郎屋の亭主といった男が小腰をかがめながら入って来た後から、若い女がおどおどとついて来る。

髪形や着ているものは、岡場所の女に違いないが、ろくに化粧もして居らず、素顔はむしろ素人の小娘といった印象であった。

「本所緑町の布袋屋の亭主、市兵衛と、抱えのお俊でございます」

長助が源三郎に紹介し、二人は平蜘蛛《ひらぐも》のように這いつくばった。

「ちょうどよい。まず、お俊に訊く。四日前の七月十日の夜、其方は湯舟へ参ったか」

お俊が弥吉を眺め、真赤になってうつむいた。

「おい」

と長助が、きびしい調子でいった。

「旦那じきじきのお調べだ。正直に、はっきりとお答えしろ」

布袋屋の亭主がお俊をうながし、女は蚊のなくような声で、

「へえ」

といった。

「その刻限に、おぼえはあるか」

「あの……五ツは廻っていたと……」

「五ツと申すと、布袋屋はまだ客があったであろうが、何故、其方は店を抜け出して湯舟へ参ったのだ」

お俊がいても立ってもいられないというそぶりをみせた。再三、長助にどなられて漸く、お客を送って店の外に出たら、向い岸を弥吉さんが行くのをみたので傍輩《ほうばい》にことわりをいって追いかけた、と申し立てた。

「申し上げますでございます」

布袋屋の主人がおそるおそる、源三郎にいった。

「本来なら、御承知のように酌女を五ツから勝手をさせることはございません。ただ、このお俊は、そこにいる弥吉つぁんと幼馴染でございまして、親の借金で酌女になりましてからも、弥吉つぁんが折々、客になって通って居りまして、この夏、長年、稼ぎ貯めた金で、お俊の借金を棒引きにしたんで……そいつは親方も立ち会いの上のことで

「……」

つまり布袋屋との話はついて、秋にも晴れて夫婦という段取りになっているのだといった。

「左様なわけでございますから、手前どもでも、お俊には酒の相手だけしかさせて居りませず、少々のことは大目にみて居りますんで……」

盆が過ぎたら、弥吉の猿江町の長屋へ嫁入りすると決っているという布袋屋の話に、弥吉の親方の辰造も同意した。

東吾が源三郎をみると、源三郎は照れくさそうな顔で話を聞いている。

「子細はあいわかった。では、お俊、其方が湯舟へ参ったのは、弥吉が湯舟にいると思った故じゃな」

「弥吉つぁんは、仕事帰りによく湯舟へ入ると知っていましたので……船頭さんに聞きますと中にいるというので……」

「其方も入ったのか」

かすかに頭を下げて、お俊は再び、赤くなった。

「ところで、弥吉、お俊が湯舟に参ってから出て去るまで、どれほど湯舟に居った」

弥吉がお俊同様、顔から汗を流した。

「おそらく、小半刻（三十分）かと……」

「その間、他に客は来なかったのだな」

「へえ」

「どちらが先に湯舟を出た」

「それは、あっしで……」

お俊は一足遅れて、舟から上った。

「猿江橋のところで別れました」

「二人が帰る折、新しく湯舟に客が来たか」

弥吉はいいえと答えたが、お俊は、

「猿江橋のところで長屋へ帰る弥吉つぁんを見送って、なんとなく湯舟のほうをふりむきましたら、人が舟に乗るのがみえました」

といっても、夜のことであり、それが男か女かまではわからなかったという。

「両者とも御苦労であった。引き取ってよいぞ」

源三郎が声をかけ、関係者はぞろぞろと番屋を出て行く。

「ここは暑すぎます。あっしの所で一服なすって下さいまし」

長助がいって、すぐ近くの長寿庵へ源三郎と東吾は移った。

「面白かったぜ。源さん、相当、汗をかいてたじゃないか」

東吾が笑い、源三郎は長助が運んで来た麦湯を一息に飲み干した。

「どうも、色事の詮議は苦手ですよ」

「ふてえ奴らだな、湯舟の中で色事なんぞしやあがって……」

長助が困ったように首をふった。

「なにも、湯舟なんぞで……」

しかし、幼馴染で長年、思い合って夫婦になろうという若い二人に、なにをいっても野暮には違いない。

「源さんは、なんで、あの二人のことを知ったんだ」

「長助の手柄ですよ」

小名木川沿いに丹念な聞き込みを続けて、七月十日の夜、五本松の湯舟の停まっている界隈で人をみかけなかったかと調べた結果、権助の死体が発見された四ツに最も近く二人の男女が湯舟を出て帰って行くのを涼みに出ていた人が目撃し、その一人がどうも弥吉のようだったというところへたどりついた。

「それで、長助が弥吉に声をかけると、あっけなく白状しましてね」

もっとも、目撃者は弥吉とお俊が去ったあと権助が舳で一服しているのをみているので、弥吉とお俊に権助殺しの嫌疑はかかっていない。

「しかし、お俊の口から、湯舟へ入った客があったと聞き出したのは大手柄だよ」

時刻からして、その人物が権助殺しの下手人の可能性がある。

「女ではなかったかと思うんですがね」

あまり自信がなさそうに源三郎がいった。

「実は、これも長助が調べて来たことなのですが、殺された権助には女湯ののぞき見をする癖があったそうです」

風呂焚きをしながら、女湯をのぞく。

「おまけにどこそこの内儀《かみ》さんは赤あざがあるとか……まあ、裸にならなければわからない部分を喋り散らすというのですから、それでは湯屋のほうもやとってはおけませんん」

「成程、長続きがしないわけか」

東吾が眉を寄せた。

「権助が、弥吉とお俊の色事をのぞき見したとして、次に女が一人で湯舟にやって来た。権助が相当の狒々爺《ひひじじい》だとすると……」

「ただ、女が出刃庖丁を持って湯舟に来ますかね」

源三郎が情なさそうにいった。

「狒々爺に手ごめにされそうになって女が助けを求める。そいつを聞きつけた岩見重太郎が狒々退治をしたというのはどうだ」

長助がぼんのくぼに手をやりながらいった。

「もういっぺん、聞き込みをやってみることに致します」

長助の悴が蕎麦を運んで来て東吾は喜んで箸を取った。

「しかし、弥吉は災難だったたな」

権助が殺されたおかげで、とんだ色事がばれて冷汗をかいた。

「かばうわけじゃありませんが、あいつはいい大工なんで……」

長助の悴がいった。

「あいつの両親も、お俊さんの父親も弘化三年の大嵐で行方知れずになりましてね。あの時は随分と海へ流されて死にましたから……」

生き残った弥吉もお俊もまだ子供で随分、苦労したらしい。

「いい具合に、弥吉は死んだ父親の兄貴分だった、今の辰造親方がひき取って一人前の大工に育て上げてくれたんですが、お俊さんのほうは母親の長患いの借金で、緑町の岡場所に身売りをすることになって……」

そのお俊も間もなく岡場所から足を洗って弥吉の女房になる。

「弥吉というのは、天涯孤独か」

東吾が訊き、これには長助が答えた。

「姉さんが一人いますんで……深川で芸者をしているんですが、けっこう売れっ妓《こ》で」

名はおらん、だという。

「姉弟仲がよくて、弥吉が嫁取りをするのを喜んで、これで肩の荷が下りた。あの世の親達にも安心してもらえると、この所、よく五百羅漢さんへお詣りに行ってるようで……」

五百羅漢寺は本所の東のはずれ、亀戸村にある。

三

七月十五日、盂蘭盆《うらぼん》の深夜、本所横川に架る菊川橋の下あたりに湯舟が漂っているのを川岸を行く人々がみつけた。

湯舟は岸辺につながれて居らず、といって船頭が漕いで行くのでもない。

これは様子が変だというので、大勢が竿をさしのべ、湯舟を岸辺へ寄せた。

その湯舟の中に、男女二人の死体があった。

男は湯舟の船頭の七之助で、名前は小粋だが、もう六十を過ぎている。そして女は、

「こいつはお俊じゃねえか」

かけつけた長助が蒼くなって叫んだ。

凶行に使われたのは出刃庖丁のようで、どちらも胸を一突きされているのだが、お俊のほうはその上、咽喉もえぐられていた。

「下手人は、権爺殺しと同じ奴じゃあねえかと思いますが……」

長助が「かわせみ」へやって来たのは東吾に助言を求めるためで、たまたま畝源三郎は公用で横浜へ出かけて留守であった。

「湯舟は流れていたんだな」

「そうなんで……ですが、湯舟が商売をしていた場所はすぐ近くの京極丹波守様の下屋敷の裏手のあたりだったそうで……」

小名木川と竪川をつなぐ横川の、ちょうどまん中あたりが菊川橋だが、湯舟はその北側、竪川に寄ったところで商売をしていたものだ。

下手人はお俊と船頭を殺害し、舟の纜《ともづな》を解いて流したものとみえる。

「お俊はまだ弥吉の所へ嫁入りしていないんだったな」

「この十七日に移ることになっていたそうで、緑町の布袋屋に居りましたんですが、昨夜は弥吉に用があるからといって出かけたと申します」

「弥吉は……」

「それが、親方の家で盆の供養に客を招んでいたので、手伝いをしていやがったとかで、うちの若いのが報らせに行くまで、全く知らなかったようです」

「供養の途中で親方の家を脱け出した様子はなかったんだな」

「辰造の家はそう広くもねえんで、姿がみえなくなりゃあ、すぐわかると辰造夫婦も集まった連中も口を揃えています」

ともかく、本所まで行ってみようと、東吾は気軽く、長助に連れ立った。

永代橋を渡って大川沿いに上るとすぐ長寿庵のある佐賀町で、その先の今川町に弥吉の親方の辰造の住居がある。

「ここから横川までは、けっこうあるな」

供養の席をちょいと抜け出して人を殺して、客に知れない中に帰って来るのは無理だろうといいながら、東吾は長助と一応、辰造の所へ寄った。

辰造はお俊の野辺送りの世話をするために弥吉の所へ出かけていたが、女房のお久がいた。

長助と一緒に入って来た東吾をみると、不審そうな顔をしたが、昨夜の弥吉については間違いなくこの家に来ていたと太鼓判をおした。

「十三日の迎え火の夜から、弥吉はうちに泊っていたんですよ。十四日は姉のおらんさんと親の墓まいりに行きましたけど、夕方からはうちへ戻って来て、昨日は朝からお客のもてなしの手伝いをしていて、ええ、お客が来たのは夕方からですけど、弥吉は酒のお燗番をしたり、お酌をして廻ったり、そりゃあまめに働いていましたよ。うちを抜け出して菊川橋まで行って来るなんて、冗談じゃありません。うちの人はちょっと弥吉の顔がみえないと、弥吉、弥吉って用もないのに呼び立てるんで、そりゃあお客もよく知ってます」

第一、何故、お俊を弥吉が殺すのかと、お久はまくしたてた。

「二人はあと二日で夫婦になるんですよ。なんでお盆の日に弥吉がお俊を呼び出して殺さなけりゃならないんです」

十年余りも働いた金を貯めて、やっと請け出した女房だといった。

「冗談にもせよ。そんな……」

「弥吉とお俊が夫婦になるのに面白くない者はいないのか」

「考えられませんよ。弥吉の姉のおらんさんだって、うちの人に手を合せて喜んでいたんですから……」

今川町を出て、本所の緑町へ行った。

布袋屋はひっそりしていた。

「今日は休みにして、女達もお俊の野辺送りに行かせてやりたいと思っていますんで……」

と亭主の市兵衛がいうように、娼妓達はみんな地味な着物に着替えている。

「お俊の供養のためだ。正直に返事をしてくれ」

お俊が弥吉の女房になるについて、客の中で腹を立てているような奴はなかったのかと東吾が訊き、市兵衛は女達を見廻した。

「手前には全く心当りがございませんが……」

女達も顔を見合せた。

「お俊ちゃんは、あんまりこういう商売にむいてませんのさ」

姐さん株だろう、お俠《きゃん》そうなのがいい出した。

「内気だし、地味だし、お客に気のきいたことがいえるわけじゃないから、あんまり熱くなって通って来る人はいませんでしたよ。それに、お俊ちゃんも弥吉つぁんのことばっかり考えているみたいで……男の人って、そういう女は面白くないんじゃありませんかね」

おとなしい女がいいという客もいるが、お俊の場合、そう長続きしないのは、

「やっぱり、弥吉つぁんっていう色《いろ》がいるとわかってしまうからですよ。こういうところの女は人のお客だろうと売れない時は横取りしなけりゃやって行けないから、みんな、お客にいいつけちまう。あたしだって、まあ何人に喋ったかねえ」

声を立てないで笑っている。

「お俊が弥吉の所へ嫁入りするんで、かっとして殺すような奴は……」

東吾がいったのに対して、

「いないよね、そんな奴……」

ぐるりと仲間を見渡すと、女達が笑いながら合点した。

「そんな威勢のいい男がいたらねえ」

「女は、どうだ」

「女……」

ふっと黙った。

「殺すほど、お俊を憎んでいる女だ。心当りはないか」

「まさか、殺しゃあしまいけど……」

姐さん株が冗談らしくいった。

「憎んでいる奴はいるのか」

「憎んでるかどうか、ただ、お俊ちゃんはなんとなく怖いっていってたけど……」

「怖い……誰だ」

「弥吉つぁんの姉さん……」

市兵衛が手をふった。

「そりゃあ、嫁に行く者にとって、亭主の姉は小姑だからねえ」

布袋屋を出て、東吾は少しあともどりをして二ツ目橋を渡った。

そのまま、深川の方角へ向う。長助はどうして深川へとは訊かず、黙ってついて来た。

「俺も、長助も男だから、女の気持はわからねえ」

伝法な口調で東吾がいい出した。

「弥吉の姉の、おらんといったな、そいつは深川の芸者なんだな」

「へえ、左様で……」

暴風雨で両親が死んだ後、深川の知り合いを頼って芸者になった。

「まだ十五かそこらだったと思いますが……」

弟の弥吉が大工の親方にひき取られると決ってからのことらしいと長助はいった。

「深川の芸者というと、客を取るのだろう」

野暮を承知で東吾が念を押し、長助がぼんのくぼへ手をやった。

「それはもう、そうでなけりゃ商売になりませんので……」

深川芸者、通称、辰巳芸者は別に羽織芸者とも呼ばれた。男名前で羽織を着用したせいだが、おらんはらん丸と呼ばれていると長助はいった。

「いい旦那がついているのか」

「そんな話は聞きませんが、客あしらいは上手なようで……」

器量も決して悪くはないが、ぼつぼつ三十に手が届く。

「芸者としては古参株だな」

盛りは過ぎていた。小名木川と仙台堀を突っ切って門前町へ入った。

「分《わけ》よしもと」という芸者屋へ長助は遠慮がちに東吾を案内した。

おらんはこの店の抱えだという。

女主人のおせいは東吾の顔を知っていた。

「手前どものような所に若先生がお出で下さるなんて、まあ、どういう風の吹き廻しでございますかねえ」

無理矢理、長火鉢の前にすわらされて、東吾は内心、困った。が、

「おらんのことを訊きに来たんだ」

ざっくばらんに東吾がいうと、

「あの妓《こ》は、今日も五百羅漢さんへお詣りに行くといって出かけてますが……」

自分でわかることはなんでも話すと膝を進めて来る。

「今日もってことは、よく五百羅漢寺へ行くのか」

隣近所の寺ではなかった。女の足だと、かなり遠い。

「なんだか知りませんが……ここんとこ、毎日のようなんですよ」

それも夕暮時に出かけて夜更けて帰って来たりする。

「お寺まいりの時刻じゃないんで、男と逢っているのかも知れませんが、なにしろ、うちへ来て長いもんですから、芸者もあの年になるといろいろとあるだろうと、あんまり叱言はいいません」

実際、お座敷のほうもお茶をひくことが増えて来て、いてもいなくても同じようなものだと、女主人はきびしいことをいった。

「弟の弥吉が嫁にする筈の女が殺されたのは知っているか」

「お俊のことでしょう。緑町の岡場所の妓が湯舟で殺されたって、大評判ですよ」

「おらんは何かいっていたか」

「別に、なんにも……」

「報らせが来たのはいつだ……」

「昨夜遅くに……」

「おらんはかけつけたのか」

「いいえ」

「それじゃ、今朝……」

「行かなかったみたいですよ。今更、行っても仕方がないって……」

「しかし、おらんはお俊が弟の女房になるのを喜んでいたそうじゃないか」

女主人が茶を勧めながら、薄く笑った。

「そりゃ、表向きはそうでもいわなけりゃ具合が悪いじゃありませんか」

「本心は違うのか」

「おらんは何もいいませんが、あたしがおらんの立場なら考えますよ。長年働いて貯めた金で女郎を身請けするのなら、どうして実の姉を地獄から助け出してくれないのか」

「地獄……」

「芸者稼業も苦界に違いはないんですよ。いくら働いても、借金がなくならない。年はとってくる……女郎には年季ってものがありますけど、芸者は何年働いても借金がある限り、足は洗えませんからね」

「おらんは……借金があるのか」

「馬鹿なんですよ。つまらない男にひっかかったり、情のない男に貢いだり……借金が増えたって減る道理はありませんのさ」

「すると……」

東吾は女主人を眺めた。

「おらんは、お俊が羨しかったと思うか」

「怨めしかったんじゃありませんか。ひょっとすると憎かったのかも……あたしがおらんなら、殺してやりたいくらい憎いですよ」

「昨日、おらんはここにいたのか」

「出かけましたよ」

手を叩いて小女を呼んだ。

「昨日、おらんが出かけたのは何刻頃だったかね」

「夕六ツを過ぎてからでしたよ」

「帰って来たのは……」

「気がつきませんでしたけど、夜中に目をさましてお手水《ちょうず》に行ったら、外で水音がするのでのぞいてみたらおらんさんが行水をしてました。ついでに洗濯もしたらしく、今朝、物干に浴衣や湯もじが干してありましたよ」

「その浴衣はどうした」

「さっき、おらんさんが着て行きました」

深川門前町から東吾と長助は猪牙《ちょき》に乗った。

まっしぐらに仙台堀を下り、突き当って北へまがるとやがて小名木川へ出る。亀戸村の近くで猪牙を下りた。

「若先生、まさか、おらんが……」

船頭の耳を気にして黙って来た長助が陸へ上ってすぐにいった。まさかといいながら、長助にもおらんが下手人らしいと推量がついている。

「分よしもと」の小女に確かめたところ、小名木川の湯舟で権助が殺された夜も、おらんは深夜に帰って来て、やはり行水と洗濯をしていた。

長助へ返事をせず、東吾は五百羅漢寺の境内へ入った。

驚いたのは、広大な敷地を持つこの寺が荒れ果てていたことであった。

「何度も嵐にやられていますんで……」

最初はおらんと弥吉姉弟の両親が行方知れずになった弘化三年の暴風雨の時だと長助はいった。

「このあたりは大水が出て家ごと海へ流されたんです」

本堂は倒壊していた。廻廊も屋根がなくなり、柱の何本かが残っているだけである。

「あっしが餓鬼の時分は、大層、立派なお寺さんだったもんですが……」

三階建ての三匝堂《さざい》というのがあったと、長助が見廻したあたりには崩れた瓦礫が積み重なって山を築いていた。

それでも、本堂の東側に建物がみえる。

「おらんはここに来て居りますでしょうか」

長助が不安そうにあたりを見廻し、東吾は残っている建物へ入って行った。

そこに女が立っていた。

ふりむいた女の顔をみて、東吾は思わず、

「あんただったのか」

と呟いた。

「やっぱり、若先生はお気がつかれたんですね。とんだところをみせちまって……」

きまり悪そうにおらんが横をむいた。

大島川のほとりの湯舟で東吾がみた女であった。

「ここ、東羅漢堂っていうんですよ。今は見る影もないけど、昔は羅漢さんがそりゃあきれいに描かれていて、よく、お父つぁんやおっ母さんとおまいりに来たんです。羅漢さんの中には必ず自分と同じ顔があるって、夢中で探したりして」

壁ぎわには薄汚れてはいるものの、おびただしい羅漢像が並んでいた。

「あんたの顔の羅漢さんは、どこにあるんだ」

おらんに近づいて、羅漢像を見渡した。

「あたしのはありません。そこのがお父つぁん、左っかわにおっ母さん……それから、こっちのが弥吉……」

像は一つとして満足な体をなしていなかった。首のもげたものもあるし、台座がなくなったのもみえる。

「だから、あんたはここへ来るのか」

「いつもは来ませんよ。でも逃げてくる所はここしかないから……」

東吾と長助の視線がおらんの浴衣に止った。

白地のところに、点々としみがあり、胸のあたりと袂には茶っぽい跡がまだらに残っている。

二人の男の視線に気づいて、おらんが袂を取り上げた。

「これ、血のしみなんですよ。よく洗ったつもりでも落ちないんですねえ」

涙声になった。

「殺さなくとも、よかったんじゃないのか」

弟の弥吉は腕のいい大工になっていた。

「いつか、あんたの借金を片付けて……」

おらんが乱暴にかぶりを振った。

「無理ですよ。所帯を持てば金がかかる。あたしは別に弟に助けてもらいたいと思ってたわけじゃない。ただ、いやだったんですよ。幼馴染だろうと、岡場所の女が弟の嫁になるなんて……」

考えただけで鳥肌が立つと顔をしかめた。

「おかしいですか。あたしもお倭も、お客を取るのが商売なのに……」

「いつから、お倭を殺そうと思ったんだ」

「弟があの女の身請けの金を払ったって聞いた時からです。出刃庖丁を買って、いつも持って歩いてました」

夜になると緑町界隈をうろついて、機会をねらっていた。

「権助を殺した時も、お倭を尾《つ》けて行ったんだな」

「弟と一緒に湯舟に入るとは思いませんでしたけど……」

「なんで、その後、湯舟へ入ったんだ」

「船頭が呼んだんですよ。汗を流して行けって……あん畜生、入ったとたんにのしかかって来やがって……」

「お俊を呼び出したのは……」

「あいつが外に出た時、声をかけたんですよ。弟が南辻橋の先の横川の湯舟へ間もなく来るからって……」

そこに湯舟が出ているのを確かめてのことだったといった。

「まっすぐ湯舟へ行って、ちょいと船頭を誘ったら、爺いのくせにその気になって、のこのこ入って来やがって……」

船頭を殺したところへ、お俊がやって来て、

「弥吉つぁん」

と声をかけながら入って来たのを一突きにした。

「今考えると、とても自分が殺《や》ったようには思えませんけど……この浴衣をみるとやっぱり、殺ったと思いますよ」

長助の前へ行った。

「すみません。お世話になります」

神妙なおらんを猪牙に乗せて、小名木川を漕ぎ出した時、陽が沈んだ。

東吾も長助も口をきかず、ただ櫓の音だけが川面に響いた。

二つ続けて湯舟で殺人があったせいで、本所深川を廻る湯舟は、この夏、急に客足が減って、それがきっかけのようにお上は湯舟を禁止するらしいという噂が流れた。

千手観音《せんじゆかんのん》の謎《なぞ》

一

その日、神林家の奥方、香苗が蔵へ入ったのは、知人が茶の催しをするので貸してくれといって来た茶道具を取り出すためであった。

神林家は古い家柄なので、蔵の中にはさまざまの古めかしい木箱が納められていて、その中には香苗が嫁に来て以来、開けたことのないようなものが少くない。

当主の通之進の話によると、みんながらくた同然だが、さりとて捨てるわけにも行かない無用の長物だということであった。

だが、棚の上から慎重に香苗が下した茶道具は自分が嫁入りした時に持参したもので、茶の湯に造詣の深かった亡母が用意してくれた逸品ぞろいであった。知人はそれをよく知っていて、時折、拝借を申し込んで来る。

桐の箱を持って蔵を出ようとして、香苗は思いついた。

同じ棚に、こちらは相当に古びた木箱があって、紫の組紐がかかっている。なかに納めてあるのは千手観音の木像であった。

神林家の祖先が紀州侯から拝領したといういわくつきの品で、何故か毎年、重陽の節句の日に取り出して、床の間に飾るしきたりになっていた。今日は九月五日、重陽の節句まではあと四日であった。ぼつぼつ蔵から出して、納戸へ運んでおいたほうがいいと香苗は判断した。

この蔵は庭に独立して建ててあるので、雨などの時は、厄介である。

茶道具の箱をまず蔵の外に出し、香苗は戻って棚の上の木箱へ手をかけた。棚の奥のほうに入っているので、けっこう重い。

手前にひき出そうとして、香苗は紫の組紐に手をかけた。ずるずるとひっぱり出して、紐を持ったまま下へおろそうとしたとたんに、なんということか、決して細くもない紐がぷっつり切れた。慌てて、箱を抱えようとしたが、間に合わず、木箱は鈍い音を立てて蔵の床に落ちた。

蒼ざめて、香苗は慄《ふる》える手で組紐を木箱からはずし、蓋を開いた。千手観音の像はこの前、しまう時に香苗自身が丁寧に御顔の部分や多くの手のところに綿をかぶせ、その上から布で包んでいる。

それでも、もしや傷ついていないだろうかと布をはずし、綿をとりのけようとして香苗は危く悲鳴を上げそうになった。

この千手観音像はさまざまの仏宝を持った多くの手が、観音の背の上部から伸びているのだが、その手の集まった根元のところが、背中からもぎ取ったようにはがれていた。つまり、千手観音の本体から手の部分がそっくり抜け落ちている。

香苗はおそるおそる、手の部分の根元を千手観音の背に押しつけてみた。それは剝落したところに合せると、ぴたりと納まったが、当然、手をはなせば取れてしまう。

夢中で香苗は蔵を出た。台所をのぞいてみると、女中は裏庭で洗濯をしている。お櫃《ひつ》から飯を少し皿に取り、居間へ戻って糊を練った。それを蔵へ持って行って、取れた部分になすりつけ、手の部分を本体につける。

だが、実際に千本はないまでも多くの木彫の手が一つにまとまっているのだから、けっこう重みがあって、とても糊では保てない。乾くとすぐにはがれてしまう。

とんだ粗相をしたというのが、その時の香苗の気持であった。

自分の嫁入り道具ならともかく、神林家の先祖代々の由緒のある仏像を取り落して毀《こわ》したことが情なかった。

が、素人に修理が困難であれば、専門家に頼むより仕方がない。

千手観音をそっと木箱に戻し、棚に上げてから、香苗は居間へ戻り、少し考えた。

出入りの道具屋に来てもらって、千手観音の修理を頼みたいが、その使を用人に命ずるのは、ためらわれた。

用人の口から、今日、自分が道具屋を呼んだことが夫に知れるかも知れない。

そうすれば、夫は香苗に、

「どうかしたのか」

と訊くだろう。すべてを話して香苗が詫びれば、妻の過失を決して怒る夫でないのは、よくわかっていた。

「そんなことだったのか」

と笑ってすませてくれる夫に違いない。

それだけに香苗はつらかった。

夫の手前、自分の過失をかくそうというよりも、夫にそそっかしい女、荒っぽい女だと思われるのが悲しかった。

子供の頃からその人が好きで、その人のことを考えただけで胸が切なくなるほど恋い慕った人と、思いがけず、親同士が決めてくれて夫婦になることが出来た。

その人を夫と呼ぶようになって長い歳月が経っているのに、香苗にとって夫の通之進は今でも恋人であった。

その人にきれいだといってもらいたい、いい妻と賞められたい、そんな願いが娘の時のまま、香苗のすべてを占めている。

一つには、子供を産まないせいもあろうか。

なんにせよ、夫から駄目な女、醜い女とさげすまれるくらいなら死んだほうがまし、というのが香苗の本心であった。

用人を使に出せないとなると、自分で道具屋へ行くしかないが、そうなれば用人がどこへ行くのか、なんの用事かと訊く。

気のきいた嘘など、到底、つけない香苗である。

裕福な旗本の家に生まれ育ち、女としての躾《しつけ》や教養は身につけても、下世話の苦労は知らないまま、神林通之進の妻となった。

夫は優しく、義弟はざっくばらんで気がおけない。しっかり者のようでも、香苗はおっとりした妻で今日まで過して来られた。

通之進にかくれて、何かをすることもなかった。

どこかで男の声が聞えたと思い、香苗はそれが長助だと気がついた。手を叩いて女中を呼ぶ。

「長助どのが来ているのではありませんか」

廊下へ膝をついた女中に訊いた。

「はい、旦那様に蕎麦粉の新しいのを届けて参りました」

「ちと、用事があるのです。ここへ通して下さい」

女中は慌てて下って行き、やがて長助が庭伝いにやって来て、沓脱石《くつぬぎいし》のむこうに小さくなってお辞儀をした。

「そこは端近《はしぢか》です。上へあがって下さい」

と香苗はいったが、長助は赤い顔をしてうずくまったまま、動こうとしない。止むなく、香苗は自分から縁側へ出て行った。

「すみませぬが、ちと使をお頼みしたいのです。東吾様にすぐこちらへ来て頂きたいと……」

長助が困ったようにうつむいたまま、答えた。

「お言葉でござんすが、若先生は今時分はまだ軍艦操練所か講武所じゃねえかと……」

香苗は身のおきどころもない程、狼狽した。

義弟が一日交替で講武所では剣術の教授方を、軍艦操練所では海軍練習生として勤務しているのを、つい、うっかりした。

途方に暮れて、涙ぐみそうになっている香苗に気がついて、長助は一世一代の勇気をふるいおこした。

「急な御用でございましたら、あっしがひとっ走り、若先生のお迎えに行って参《めえ》りますが……」

「いいえ、それは、いけませぬ」

落つかなければ、と香苗は自分にいいきかせた。

「長助どのは本銀町の要屋と申す道具屋を知っていますか」

「へえ、あちらさんは確か、竜閑橋の近くでお稲荷さんの向い側の……」

「そうです、そうです」

ほっとして香苗は一膝前に出た。

「主人の清兵衛どのに、至急、頼みたいことがあるのですが……」

「よろしゅうございます。お安い御用で。すぐ行って参《めえ》りますです」

たて続けにお辞儀をして長助は一目散に神林家をとび出した。

日頃、天女様とか観音様とかいうのは、ああいう御方のようなのではないかと夢のように思っている神林家の奥方様が直々に声をかけて下さったばかりか、頼まれ事をしたので、長助の魂はまさに天に舞い上ったようで、宙をとんで一石橋をかけ抜け、一気に竜閑橋の袂まで突っ走ったのはよかったが、肝腎の要屋へ行ってみると、

「あいにく主人は先月から御町内の方々とお伊勢さんへおまいりに出かけて居りまして……」

早くても今月末にならないと帰って来ないといわれてしまった。

張り切って来ただけに、長助は肩から力が抜けた。これでは折角のお使が、役に立たない。がっかりして御堀端のところで立ちすくんでいると、

「おい、長助じゃないか」

長助には救いの神が天から降って来たように見えた。

神林東吾は長助から子細を聞くと、まっしぐらに兄の屋敷へ行った。

東吾の顔をみて、香苗も亦《また》、棚からぼた餅が落ちて来たように喜んだ。

「実は上のほうの教授方の御都合とかで、講武所の稽古が早く切り上げられまして、戻

って来る途中、長助に出会いました」

　道具屋の清兵衛は伊勢参宮に出かけているそうですが、なんの御用ですか、と東吾が訊き、香苗は蔵での顚末を打ちあけた。

「私、馬鹿なことをしでかして……」

　打ちしおれた兄嫁に、東吾は笑い出した。

「そんなことで、兄上はお怒りにはなりませんよ。そうですか。あの千手観音がぶっこわれましたか」

「人聞きの悪いことをおっしゃらないで下さいまし。手がとれただけです」

　この義弟と話をすると、いつもこうだと香苗は可笑しくなった。

　この家に嫁に来て、つまらないことであれこれ考えていると、必ず、東吾が気がついてくれて、あっけなく吹きとばしてしまう。

　夫は町奉行所の吟味方与力として激務の中にあるのだから、僅かなことで心を使わせてはならないと思っている香苗にとって、およそ屈託ということを知らないような義弟は、相談相手としてこの上もなかった。

「久しぶりに、あのぶかっこうな観音様にお目にかかるとしましょう」

　東吾は冗談らしくいって、蔵へ行く。用人は東吾が来た時、鹿爪らしく挨拶をしたが、

「義姉上に頼み事があって来たのだ」

といった東吾に、

「では、手前は御遠慮致しましょう」

まさか、夫婦《めおと》喧嘩の仲裁をお頼みにお出でなされたのではございますまいな、と下手な冗談をいって、ひっ込んでしまった。

従って、東吾と香苗の内緒事は、見とがめるものがない。

腕のとれた千手観音を取り上げて、東吾は内心で苦笑した。兄嫁の狼狽と当惑が手に取るようにわかる。

「はじめて気がつきましたがね。この観音様は余分な手がないほうがすっきりしますね」

子供の頃、これをみてまるで蜘蛛の化け物みたいだと気持が悪かったなぞという東吾に、香苗は情なさそうな顔をした。

「でも、千手観音ですから、手がないことには……」

「要するに、とれた所をくっつければよろしいのでしょう」

「重陽のお節句まで、あと四日しかございません」

「一年ぐらい、飾らなくても……」

「旦那様が、変にお思いになりますもの」

「兄上は、古いしきたりにこだわりはしませんよ」

「私がいやなのです。毎年続けていることを今年に限ってしませんと、なにか不吉で……」

兄嫁の表情をみて、東吾は千手観音を箱に納めた。

「よろしい。手前がおあずかりして修理させて来ます。八日の夜までに持参すればよいのでしょう」

「直りますかしら」

「玄人《くろうと》なら、なんでもありませんよ」

「道具屋にお心あたりがございますの」

「勿論ですよ」

「あの、私がこわしたと、誰方《どなた》にもおっしゃらないで……」

「誰も義姉上がこわしたとは思いません。手前が持って行けば、手前がこわしたと……」

「それでは、東吾様に申しわけがありません」

「では、義姉上がと申しますか」

「それだけは、どうぞ御内聞に……」

顔を見合せて笑い出し、それから東吾は嘘の下手な香苗のために、少々の智恵をつけた。

千手観音の箱を風呂敷包にし、別に香苗の出しておいた茶道具の包も持つ。

「では、おまかせ下さい」

会釈をして玄関へ出ると、思った通り、用人が送りに来た。

「義姉上が、大友どのに茶道具をお貸しするというから、俺が届けて来るよ。なに、ちょうど帰り道だ。義姉上、では、また出直して参ります」

颯爽と帰って行く東吾を、香苗は胸の中で手を合せて見送った。

二

茶道具を届けて、東吾はちょっと考えた。

畝源三郎に千手観音の修理の出来る道具屋を紹介してもらうつもりだったが、この時刻、定廻り同心の彼は町廻りか、さもなくば町奉行所にいる筈である。かなり大きな木箱の包を提げて、東吾は日本橋川の岸辺で立ち往生した。その目の前に、亀島川のへりをまがって、薬籠を小脇にした男がひょっこり出て来た。

「宗太郎《そうたろう》じゃないか」

「つまらない所で、つまらない人に会うものですね」

本所の名医、麻生《あそう》宗太郎は香苗の妹、七重《ななえ》の夫だから、東吾とは親類になる。が、それ以上に気のおけない、心を許し合える友人であった。だが、会えばどちらも憎まれ口を叩き合って喜んでいる。

「ちょうどよかった。実は相談がある」

「おるいさんに内証の金に困って、神林家から骨董でも持ち出して来て売っ払おうというのじゃありませんか」

「よく、そういうことを思いつくもんだな。れっきとした御典医の悴に生まれたくせに……」

「医者は患者の心の動揺を見抜きます」

「いつ、俺が宗太郎の患者になった」

「まあ歩きましょう。男二人が夜逃げの相談でもしているように見られては迷惑です」

ちらと東吾の横顔を眺めた。

「察するに、かわせみでは話せないことのようですね」

「話せないことはないが、義姉上の気持を考えると、あまり多くの人の耳に入れたくないんだ」

「すると、拙宅も駄目ですか」

「長寿庵がいい。あそこなら安心だ」

大川端町の「かわせみ」を右にみて、東吾は宗太郎をうながし、早足で永代橋を越えた。

長助の蕎麦屋、長寿庵は深川佐賀町にある。

暖簾《のれん》をくぐると長助がとんで来た。

「先刻は厄介をかけた。義姉上が大層、すまながっていたよ」

「とんでもねえことで……」

まだ、どこかぼうっとした様子の長助に、

と声をかけ梯子段を上ると、宗太郎が蕎麦を注文している。患家を廻って午飯《ひるめし》を食べそこねたというのにつき合って、種物で酒を少し、その間に、すべてを打ちあけた。

木箱の中から、腕の取れた千手観音を出して、宗太郎がにやにや笑い出した。

「これが、神林家の家宝ですか。七重から聞いたことがありますよ。重陽の節句の日に紀州侯から拝領したとか」

「それで、九月九日に蔵から出して飾るのか」

「知らなかったんですか」

「兄上も知らないぞ」

「麻生の義父上は御存じでしたよ」

「どうでもいいが、紀州侯は趣味が悪いな。俺は籠をぶら下げている観音様が一番、気に入っている」

「魚籃《ぎょらん》観音ですか」

本体と腕の部分のはずれたところをしげしげとみて、

「こりゃあ下手な道具屋へ持ち込んで修理をさせると、とんだことになりますよ。こういうものは修理したのがわからないように仕上げないと……。それが出来るのは竜閑橋の要屋ぐらいで……」

「留守なんだよ。伊勢まいりに行って……」

「二階を借りるよ」

「名人清兵衛が、ですか」

「義姉上としては、なるべくなら兄上に知られたくないんだ」

「下手な修理だったら、一遍《いっぺん》で義兄上にわかりますよ」

「どこかにいないか。名人がもう一人……」

ふっと宗太郎が考え込んだ。

「名人の心当りはありませんがね。もしかしたら、なんとかなるかも知れませんよ」

本所一ツ目に菅野貞之助という旗本がいると宗太郎はいい出した。

「なかなかの名家なのですが、当主は大変な道楽者で、それ故、奥方が離縁状をとって出て行ったという……」

先代が骨董好きで、けっこう売りとばした今でも、かなり良いものを持っている。

「実は、この春に当主が体を悪くして、呼ばれて手前が何度か屋敷へ通ったのですが、その折、もしいい買い手がいたらひき合せてもらいたいといって、蔵の中をみせられたのですよ」

その中に、これとよく似た千手観音があった。

「これと並べてみなければわかりませんが、大きさも形も似たりよったりの気がするのです」

「そいつを買えというのか」

「借りるのですよ、借り賃を払って……」

た。


「出来るのか。そんなことが……」

「菅野は薬料を払っていないのです。相談の余地はあると思いますよ」

これから行ってみないかという宗太郎の提案に、止むなく東吾は承知した。

菅野貞之助の屋敷はかなり敷地が広いにもかかわらず、荒れ放題であった。

幸い、貞之助は在宅していて、宗太郎が千手観音をみたいというと、すぐに出して来た。

「さる所から気に入ったら買うといわれて、用人が持参したのだが戻されて来たばかりで。先祖が紀州侯から拝領したと伝えられているのだが……」

木箱から取り出したのをみると、東吾が持っている千手観音とそっくりである。

そこで、秘蔵の観音像を粗相でこわしてしまったので、もし、瓜二つなら五日ばかり、これを借りたいと話をし、二つを並べてみると、大きさはややこちらのほうが小さいが、見分けがつかないほど似ている。

東吾がうなずき、宗太郎が十日までの五日間、一日一両の貸料で拝借したいと話をつけた。

金は返却に来る時に支払うのでかまわないと菅野は親切であった。

もっとも、宗太郎には薬料も診てもらった礼金も払っていない負い目があるせいだろう。

用人がいるといったにもかかわらず、人の気配もなく、屋敷は荒涼としている。

首尾よく千手観音を借りて、二人は顔を見合せた。

「紀州侯というのは、いったい、いくつ千手観音を作らせ、どこにくばったんですかね」

おそらく、同じ仏師の作だろうと宗太郎がいい、嬉しそうに笑った。

「これで、義姉上は安心しますよ」

重陽の節句が終ったら蔵にしまうのだから、通之進に内緒で持ち出して菅野家へ返却する。

「名人、清兵衛が帰って来たら、本物のほうの修理をさせて蔵へ戻せばいいでしょう」

二つの木箱を両手にぶら下げて東吾は汗をかいた。

「一日一両は高いな」

「止むを得ないでしょう。義姉上のためです。手前と東吾さんで半分ずつというのはどうですか」

「そのくらいなら、なんとかなるよ」

軍艦操練所と講武所との給料はそっくりるいに渡し、入用の都度、もらっている。つきあいでいくら欲しいといえば、るいは何もいわずに紙入れに入れてよこす。

「おたがい、いい女房を持っていてよかったですね」

とぼけた顔で、宗太郎は小名木川のところで東吾と別れた。

二つの大きな木箱を兄の屋敷へ運び込むのに、東吾は苦労した。とりあえず長助に手助けを頼み、まず、長助を裏へやって様子を窺わせると、論語読みの先生の所へお出かけだそうでして……」

「御用人様は只今、麻太郎《あさたろう》坊っちゃんのお迎えに、論語読みの先生の所へお出かけだそうでして……」


「助かったな」

大手をふって玄関から入れると、東吾は慌てて冠木門《かぶきもん》をくぐった。

義弟の話に香苗は泣かんばかりに喜び、一つの木箱は蔵の奥にかくし、萱野家から借りて来たほうのを納戸に入れた。

「恩に着ます」

兄嫁に手を合せられて、東吾はいい気持で「かわせみ」へ帰った。

これで万事うまく行くと固く信じていたものだったが、明日は重陽の日という夕方に、神林家から「かわせみ」に使が来た。

久しぶりに重陽の祝宴の膳を共にしたいので、夫婦揃って来るようにという兄の口上である。

千手観音の件があるので、東吾は内心、具合が悪かったが、行かないと返事をすることも出来ない。

「重陽の節句と申しますのは、菊に綿をかぶせておいて、その露でお化粧をすると、年をとらないとか申すそうじゃございませんか」

女中頭のお吉は早速、知ったかぶりをいって、出来ることなら、余分の綿があったら頂けまいかと、るいにいえば叱られるから、さりげなく東吾にねだったりしている。るいのほうは簞笥の前にすわって、明夜、東吾にはなにを着せようか、自分はどうしたものかと思案していた。

番頭の嘉助が奥へ顔を出したのは、そんな時で、

「畝の旦那が……お急ぎのようで帳場でお待ちでございます」

と取り次いだ。

「すまない、源さん。東吾が急いで出て行って、先だっては長助にいろいろと厄介をかけてね。源さんに話しておかなけりゃと思っていたんだが……」

といいかけると、

「いやいや、長助は喜んでいますよ。当人は観音様の御役に立ったと思っているような具合ですから……」

笑いながら手を振ってから表情を改めた。

「ただ、念のため、ちょっとお訊ねしておきたいと思って寄ったのです」

先頃、本所のはずれ、柳島町の道具屋、といっても、本店は横浜にあって、柳島町のほうは大旦那の隠居所といったようなものなのだが、その店に関して、

「或る者から密告があって、お上の手入れがありました」

指揮を執ったのは、隠密廻りの同心、本庄彦三郎だといった。

「つまり、横浜の異人を相手にお上の御禁制の品を売ったり買ったりしているというの

でして、異人に売っているのは、主として骨董品、書画や壺、鉢の類、または発禁になっている浮世絵なぞもあるとのことです」

別に日本の美術工芸品を異人に売るのはかまわないのだが、その品が将軍家からの拝領品で、葵の御紋がついていたりすると、これは取り締りにひっかかる。

「その道具屋は、この節、逼迫《ひっぱく》している御家人衆や旗本などの家から古物を買いつけているらしいとのことで……」

「ありそうな話だな」

ちらと東吾は菅野貞之助を連想した。古い家柄のところほど、わけのわからない美術品がある。売って金になるならと考える者がいても不思議ではない。むしろ、相手が異人なら、かえって後くされがないかも知れない。

「それで、御禁制の品が、店にあったのか」

「ありません。浮世絵なぞも大人しいものばかりだったそうで……」

本庄彦三郎はいささか面目を失って引揚げたらしい。

「それと、源さんが俺の所へ来るのと、どういうつながりがある」

「つながりなんぞありませんよ」

笑いながら、低声《こごえ》になった。

「長助が心配して打ちあけたんですよ、東吾さんが大きな木箱を持ち出して、あっちこっちへ行ったようだが、なにかお困りのことでもあるのだろうかと……」

東吾はあっけにとられ、それから爆笑した。

「すると、なにか、俺が女房に内緒の借金をこさえて、兄上の所から骨董を持ち出して質にでも入れようという……」

「まあ当らずといえども、遠からずじゃありませんか」

「どいつもこいつも、よくそう似たりよったりのあて推量をするもんだ」

「違うんですか」

「見当違いだよ。あれは、義姉上に頼まれて、飾り物の修理をさせに行ったんだ」

源三郎が鼻の上に皺を作った。

「では、そういう話にしておきましょう」

「そんなくだらないことをいうために寄ったのか」

「宿帳改めのついでに、東吾さんをからかっただけですよ」

「こん畜生」

るいが運んで来た茶を飲んで、源三郎は満足そうに帰って行った。

そして、九月九日、夕方から東吾はるいを伴って八丁堀の兄の屋敷へ行った。

庭には見事な菊の鉢がずらりと並べられていて、花には着せ綿がしてある。

「全く、兄上の風流につき合うのは、楽ではありませんよ」

床の間に飾ってある千手観音像をちらと眺めて、東吾は兄嫁に片目をつぶってみせた。

「叔父上、おいでなされませ」

行儀よく挨拶した麻太郎が、東吾に手習帳などをみせていると、本所から宗太郎夫婦が花世《はなよ》と小太郎《こたろう》を連れて到着し、一足遅れて通之進が奉行所から退出して来た。

すぐに膳が運ばれて、賑やかな会食になる。

「東吾の所は千春を連れて来なかったのか」

兄にいわれて東吾は盃を干した。

「あいつは夕飯を食わせると、すぐ寝てしまうんです。手がかからなくて助かりますが、張り合いがなくて……」

「お前が子供の頃、そうだったよ。あまりよく寝るので乳母が心配して医者にみせたくらいだ」

「寝る子は育つと申すでしょう」

「全く、よく育ったものだな」

通之進も背は高いほうだが、東吾は兄より上背がある。肩幅も腕の太さも兄を凌いだ。

そんな弟を、通之進は頼もしそうに眺めている。

「千春様はもうよくお歩きになりますでしょう」

七重がるいにいい、るいが嬉しそうに答えた。

「はい、うっかり目をはなしますと、どこへ行ってしまうかわかりませんので、一日中、娘のあとを追いかけて終ってしまいます」

「でも、女のお子はまだよろしいのです。小太郎は腕白で、がむしゃらで。この前も、天野の父上様から頂いた馬の飾り物を、いきなり尻尾をつかんでひき抜いて……」

宗太郎が一応、神妙に麻太郎や姉の花世と並んで飯を食べている小太郎に親馬鹿の目を向けた。

「男の子は誰しもそれくらいのことはやりますよ。東吾さんなんぞ、七重の雛人形の首をみんなひき抜いたそうですね」

「なんで、そういう話になると俺が出て来るんだ」

男達はがやがやさわぎながら酒を飲み、母親同士はもっぱら子育ての話をしていた。

飯の終った子供達は、香苗が出して来た投扇興《とうせんきょう》で遊んでいたが、麻太郎と花世はともかく、小太郎は忽ち飽きてしまったらしい。

はっと七重が気がついた時、小太郎は床の間に上っていて、右手に千手観音像の背中からひき抜いた数十本の手を握りしめていた。

「小太郎、まあ、なにをしたのです」

七重の声で、宗太郎が我が子の手から観音像を取り上げた。

背中の部分にぽっかり穴があいて、そこに詰め物になっていたのか白い布がのぞいている。

「よいよい、子供のしたことだ。とがめてはならぬ」

通之進が声をかけ、

「申しわけありません。とんだことをしてしまいました」

我が子の代りに頭を下げた宗太郎が、観音像の背中からはみ出た感じの白い布をひっぱった。ずるずると白い袋が出て来る。

「なんだ。それは……」

東吾が近づいた。

宗太郎が観音像の胎内からひき出した袋は長さが三寸ばかり、筒形になっている。口のところはしっかり紐でしばってあって、袋の中には何かがぎっしりつまっている感じであった。

宗太郎が袋の外から臭いをかいだ。それから慎重に袋の紐をほどく。白っぽい煙草のようなものがのぞけた。

通之進が低くいった。

「鴉片烟《アヘンたばこ》か」

宗太郎も小さく答えた。

「大麻かも知れません」

「なに……」

「お釈迦様の生まれた国で取れる大麻は医者のほうでは麻酔薬に用いることがあるのですが、鴉片と同じく毒性があります。常用すれば大変に危険で……」

「何故、そのようなものが、この仏像に……」

「兄上」

慌てて、東吾は通之進の前へかしこまった。

「申しわけありません。実はこの観音像は我が家に伝わる重代のものではございませ
ん」

香苗が何かいいかけるのを素早く制した。

「実は先日、兄上の留守に参りまして、義姉上が千手観音像を蔵から出すのを手伝いま
して、うっかり木箱を取り落しました。開けてみると腕の部分が取れて居りまして、兄
上に叱られてはと、宗太郎に相談しました所、知り合いがそっくりの千手観音を持って
いると申しまして……」

通之進の表情が柔かくなった。

「それが、これか」

「はい」

「我が家のは、どこにある」

「蔵です」

「出して参れ」

東吾と香苗が蔵から出して来た千手観音像を通之進は手に取って背中の部分を調べた。

こちらは手の抜けた部分に四角いくぼみはあるものの、大麻の袋をかくせるような大き
な穴はあいていない。

「なるほど、よく似て居るな」

苦笑して、通之進が宗太郎に訊いた。

「この像の持ち主は……」

「萱野と申す旗本です。しかし、萱野が大麻などを入手するとは思えぬのですが……」

東吾があっと声を上げた。

「兄上は御存じですか。隠密廻りの本庄どのが柳島の道具屋へ手入れを行ったことです」

畝源三郎から聞いたばかりであった。

「それは、いつのことか、兄上は聞いてお出でですか」

通之進が弟をみつめた。

「今月四日の夜と報告されていたが」

しかし、密告にもかかわらず、道具屋からは禁制品が出なかった。

大麻は禁制品ではないが、毒物であれば鴉片と同様、取り締りの対象になる。

「重ね重ね、申しわけありません。これから、宗太郎と萱野家へ行って参ります」

男二人が八丁堀をとび出した。

三

萱野貞之助は、観音像の胎内から出た大麻の袋をみても、それがなんだかわからなかった。毒物と知らされて顔色を変える。

「左様なものは、全く存ぜぬが……」

ただ、その観音像が、背中の腕の付け根に当る部分がはずれるようになっていて、数十本の腕をはずすと本体の内部が空洞になっているのは知っていたという。

「毒物の袋なぞ、入ってはいなかった。それだけは確かに申し上げる」

用人が呼ばれた。曾根文蔵という五十そこそこの貧相な男で、これも大麻の話をきいて蒼白になっている。

宗太郎がいった。

「先日、この像を拝借した際、菅野どのはさるところより、気に入ったら買ってもよいという者があって、用人に持たせたが、返されて来たといわれたが、それは、どちらか教えて頂きましょう」

用人がおどおどと返事をした。

「道具屋でござる。今までにも手許不如意の折には、いろいろと買うてくれまして……」

東吾がきびしくいった。

「柳島町の道具屋か」

「はい……政右衛門と申します旦那の隠居所でございますが……」

「千手観音が返されて来たのは……」

「今月四日のことで……」

それにつきまして、と用人は慄えながらいい出した。

「本日、政右衛門より使が参りまして、この千手観音を是非欲しいという客がある故、あずからせてもらいたいと……」

「なんと返事をなされた」

「只今、麻生様へお貸ししてある故、戻って来たら、早速、持参すると……」

東吾と宗太郎が菅野家の外へ出ると、そこに畝源三郎が長助を従えて待っていた。

「神林様よりお指図がありまして……」

四人の男がひとかたまりになって柳島町へ走った。

だが、道具屋政右衛門の隠居所は蛻《もぬけ》の殻《から》であった。

それも、よほど慌てて逃げ出したらしく、家の中は大風が吹いたあとのような有様である。

政右衛門が出て行く姿を、隣家の女房がみていた。

夕方からどたんばたんと大掃除でもしているような音が聞え、その後、政右衛門と奉公人の男とが、荷物をしょってあたりを窺うようにして出て行ったという。

「隠居さんが囲碁が好きだというので、お仲間の旦那衆がよく集まっていなさったようですが、碁石の音は滅多に聞えませんで、時々、変な臭いがしましたよ。嗅いでいると頭が痛くなるような感じで……気味が悪いので戸を閉めていましたが……」

長助が若い者を集めて隠居所をくまなく調べてみると、かなりの骨董類が残されていた。

あとで判ったことだが、それらの大方は本所界隈の武家屋敷から出たもので、政右衛門が買ったものもあれば、売り手をみつけてもらうためにあずけたというものもあった。畝源三郎から横浜掛へ連絡が行き、横浜の政右衛門の店を調べると、葵の紋服と羽織が一組、それに壺にかくされた大麻が発見された。

政右衛門がどうして柳島町を急に逃げ出したのかといえば、菅野家の用人が千手観音像を麻生家へ渡したといったことで、

「本庄どのの手入れの際、政右衛門は大麻のかくし場所に困って、とりあえず、菅野家からあずかった千手観音の背中の部分が空洞になっているのを知っていたので、そこへ袋ごと押し込んだのですよ。それでも自分の家へおいておくのは危いと思い、菅野家へ返した。で、さわぎがおさまってから、なにくわぬ顔で、買い手がみつかったといい、千手観音を取り戻し、大麻を抜き出す気だったのです。それが、麻生家へ行ってしまった。名主の所で訊ねてみると、麻生家のお嬢様は八丁堀の与力の旦那様へ嫁入りなさっているという。脛に傷持つ身としては、これは観音像にかくしたことがばれたと早合点したのです」

と畝源三郎が東吾に教えた。

「どうも無知というか、半可通というか、困った連中でしたよ」

畝源三郎に頼まれて、政右衛門の取調べに立ち会った宗太郎が、あきれた顔で東吾に

報告した。

「大麻を鴉片と思い込んでいたのですよ。おまけにそれを吸うといい気分になると異人から教えられて、自分も吸い、囲碁仲間にも吸わせていたのです」

無論、大金を取ってのことだが、政右衛門の隠居所に来ていた常連はかなりの中毒を起していると判断して、その一人一人を呼び出してみると、やはりひどい重症者がいて、宗太郎はその治療に苦労しているという。

政右衛門は処刑され、店は闕所《けっしょ》になった。

月が替って、竜閑橋の袂の道具屋、要屋の主人、清兵衛が江戸へ帰って来たと知らせがあって、東吾は香苗と共に千手観音像を持って出かけた。

清兵衛はもう六十だというが、如何にも職人といった風貌で、丁寧に自分が留守にしていたことを、香苗に詫びた。

千手観音像をみると、なつかしそうに、

「やはり、取れましたか」

という。

「御存じかと思いますが、これは今から二十年ほど前に、手前が修理を致したものでございます」

この像は一本の木で彫り上げたのではなく、本体と数十本の手の部分が別々に出来ていて、それが背中のところで組み合わさって一つになっている。

「実によい細工ではございましたが、それがなにかのはずみで力が加わり、とめてあった部分が折れてしまいました。一度、そういうことになりますと、修理をしてもどうしてもはずれやすい。手前としては出来る限りのことをしたつもりでございましたが、もし、取り落されなど致しますと、同じ部分がとれてしまいますので……」

まことに申しわけないとあやまられて、東吾は香苗と顔を見合せた。

「二十年前というと、いったい誰が……」

「神林の殿様が、御自身でお持ちになりました。手がすべって落してしまったと……」

香苗が下をむき、東吾は笑い出したいのを必死でこらえた。

「義姉上は、御存じでしたか」

「いいえ、旦那様は何もおっしゃいませんでしたもの」

「兄上も人が悪いですな」

かつて、こわしたことがあったから、兄はこの像の背中に空洞のないのを知っていたのかと思った。

それにしても、あの優雅で万事に慎重な兄でも家宝の仏像を落して、ぶっこわすことがあったのかと、東吾は嬉しくなった。

兄らしくないと思い、いや、兄らしいと思い直す。

そんな東吾に、香苗がそっとささやいた。

「お願い。東吾様、今のこと、内緒にして下さいましね。旦那様にも、私達が清兵衛から聞いてしまったこと、決してお話しになりませんように。一生のお願いですから……」

兄嫁の真剣な顔をみて、東吾は大きくうなずいた。

「承知しました。お約束します」

千代田城の御堀の上を秋風が渡っていた。

よく晴れた空に、東吾は指で兄の秘密と書いてみたいと思いながら、兄嫁を乗せた駕籠の後を大股に歩いて行った。

長助《ちょうすけ》の女房《にょうぼう》

一

この秋、江戸町奉行所では一つの目論見が提議された。

定廻り同心の下で働く御手先、いわゆる岡っ引と呼ばれる者達は、これまで町奉行所の側からいえば非公認であった。つまり、町奉行所から任命されているのではなく、定廻り同心個人から手札をもらって、犯罪の解決に協力したり、犯人の検挙にかかわり合って来た。従ってその報酬にもきまりはなく、いってみれば只働きの感さえあった。

新しい提案は、彼らの中《うち》、優秀な者をえらんで正式に定廻り同心の配下として、町奉行所から然るべき給金を与えるというものであった。最下級ではあるけれども一応、士分のはしくれということになって、大名家における中間、小者などの扱いと似たような形ではどうかというような話が出た。

何故、こうした案が出て来たのかといえば、緊迫した世情のせいであった。とりわけ、長州に対して幕府の討伐軍が西征するといった噂もあって、攻めて行くにせよ、守る側に従うにせよ、軍兵が必要となる。この際、岡っ引も緊急の折に出動出来るように組織しておいてはという考えがその底にあった。

無論、こうした案にはさまざまの論議がされるので、早急に決定はしない。で、とりあえず、これまで定廻り同心の下で功績のあった御手先に、褒美を与え、その労をねぎらってはという話が出て来て、これはすぐにまとまった。

早速、定廻り同心達から推選された御手先が秋晴れの吉日に町奉行所に呼び出され、御奉行様から新しい十手、捕縄と御褒美の金子《きんす》五両を頂戴した。

その中に、長寿庵の長助がいた。

なにしろ、名誉なことだから、お膝元の佐賀町は勿論、深川本所と、長助の縄張り内は大喜びで町中がちょっとした祭の気分になった。

当日の長助は、前もって神林通之進から届けられた紋付袴を着用して、畝源三郎につき添われ、こちんこちんに緊張して南町奉行所へ出頭した。

呼び出されたのは二十名ばかりだったが、御奉行様から直々、御言葉を賜わったのは長助を含めて三人だけで、ずらりと並んだ与力衆の中に神林通之進の姿をみつけ、長助はただもう夢中で頭を下げた。

人心地がついたのは、御奉行所の門を出てからで、長助が仰天したのは、そこに神林東吾が立っていたからである。

「講武所の帰りなんだ。ぼつぼつ退出の時刻だろうと思ったから寄ってみた」

めでたいことだったな、と声をかけられて長助は鼻の奥がじんと熱くなった。

「もったいねえ、あっしなんぞが……みんな、畝の旦那と若先生のおかげでございます」

土下座しかねない長助を、ついて来た畝源三郎が支えてやっていると、麻生宗太郎が走って来た。

「やあ、終ったようですね。長助が御褒美を頂くときいたので、見に来たんですよ。天気もよくて何よりでしたね」

遂に長助が声をあげて泣き出し、それを囲んだ男三人もなんとなく目をうるませた。

これまでの数え切れない捕物のたびに、長助が人知れず、どれほどの汗をかき、苦汁をなめて来たか、誰よりも承知している三人であった。

ともあれ、長助にとってまことに感慨深い一日が終ると、今度は本所深川の旦那衆が世話人になって、長助を祝う会を催すことになり、

「冗談じゃありませんや。そんなことをして頂けるようなあっしではございません」

晴れがましいことは苦手だと辞退する長助も、

「なに、このところ世の中が不景気でみんな気分が晴れなかったんだ。親分のめでたい話にあやかって、ぱあっといい正月が来るように、縁起直しに一杯やろうというのだか

ら、どうか、わたしらの顔を立ててうんといって下さいよ」

と世話人達に口説き落され、止むなく首を縦にふった。

場所は深川大橋の平清で、

「お内儀さんも、どうか一緒に……」

と声がかかったが、

「とんでもねえことで。うちのはひっ込み思案でとてもそんな所へ出られるような奴じゃございません」

第一、女房と並ぶくらいなら、あっしも御勘弁を願います、と長助が相手にしないので、それならば悴さん夫婦には是非、親分の晴れ姿をみてもらいたい、孫の長吉も是非、と再三、口説かれて、長助はなんとなく承知した。

悴夫婦はともかく、孫の長吉には一世一代の祖父の姿を瞼の中にとめておいてもらいたいという気持があったからである。

その日、大川端の旅籠「かわせみ」では、東吾とるい、それに嘉助とお吉までが集って、出来上って来たばかりの女物の袷を眺めていた。

「ほんとに仕立て上ると一段とひき立ちますですね。きっと長寿庵のお内儀さんによく映《うつ》りますよ」

とお吉がいったように、その着物は長助の女房、おえいのためのものであった。

長助が今度の町奉行所の褒賞にえらばれた時、「かわせみ」では何を祝にやろうかとこの四人でさんざん考えた。

神林家のほうからは早々と使が来て、通之進の指示で紋付袴一切が贈られると知らせてよこしたし、畝源三郎に訊くと、

「手前のほうは、お千絵がなんとやら申す紬の着物に帯を添えてやろうと目下、呉服屋に注文したところです」

という。

「みんな嬉しがって奮発しているな。こっちも負けずに、長助の喜ぶものを祝ってやろうじゃないか」

と東吾が張り切ったが、どうもこれというものが思いつかない。その中にるいが、

「どうでございましょう。長助親分が立派にお上の御用をつとめて来ることが出来ましたのは、やはり、お内儀さんがしっかり店を守ってお出でなさったからで、長助親分もそのあたりはよくおわかりだと思いますの。ですから、いっそ、お内儀さんに何か贈ってさし上げるというのは……」

といい出した。

「それはよろしゅうございます」

一番に賛成したのは嘉助で、

「長助親分は大変な照れ屋でございますから、日頃、お内儀さんに優しい言葉一つかけるわけではございますまい。ですが、心中では必ず、すまない、ありがたいと頭を下げ

ていなさる筈で、お内儀さんに何かしてさし上げれば、自分が祝ってもらった以上に嬉しい筈でございますよ」

といった。

「内儀さんのものというと、やっぱり着るものか」

東吾は最初から女房のいいなりで、

「間もなく正月だから、ちょうどいいだろう」

あっさり決った。

たまたま、麻生宗太郎が患家の帰りだと立ち寄って、

「うちの奥方が、長助には日頃、厄介になっているので、なにか祝をやりたいが、なににしてよいか見当がつかない。おるいさんに相談して来てくれというのですがね」

といい、

「東吾さんの所が内儀さんの着物なら、それに合う帯を見立ててくれませんか。うちの祝は、それにしますよ」

万事まかせるからよろしくと頼んで帰って行った。

「私がえらんでよろしいのでしょうか」

とるいはためらったが、

「七重の奴に蕎麦屋の女房の着るものを見立てさせるのは無理だよ。むこうがまかせるというのだから、せいぜい、いいものをみつくろってやるといい」

東吾に勧められて、お吉をお供に本町通りのえびす屋まで出かけ、番頭と相談しながら、着物を決め、それに合う帯をえらんで、帯のほうは一応、番頭が麻生家へみせに行って、勿論、宗太郎、七重も、

「これはいいな。きっと長助の女房に似合いますよ」

「おるい様はやっぱりお見立て上手で……いいものをえらんで下さって、ありがとう存じます」

と、とんとん拍子にことが運んだ。

すでに帯は一足先に麻生家へ届けられ、着物のほうが今日、仕立て上って来たものであった。

群青《ぐんじょう》の濃淡を基調にした縞の着物には、背中に一つ、縫い紋がついている。

縞に紋をつけるのは、この頃の流行であった。

長助の紋付を作る時に、

「あっしらのようなものには、家紋なんぞはございませんので……」

と恐縮したのを、

「畝家の紋がよかろう」

通之進が笑って決めた。

畝家の家紋は丸に三ツ柏《がしわ》である。

「女には立派すぎますので、丸を取って、三ツ柏だけにしましたの」

そのほうが粋だし、品がいいと呉服屋が勧めたように、紋付の縞の着物は上品だが堅苦しくもなく、

「これなら、お正月着にもなりますし、お祝い事にも着ることが出来て、きっと重宝すると思いますよ」

お吉も我がことのように喜んだ。

やがて、るいはお吉をお供に永代橋を渡って深川佐賀町の長寿庵へ行った。

店は二人ばかり客が入っているだけで、閑散としていた。もっとも、蕎麦屋がいちばん暇になる時刻であった。

長助の女房、おえいは誰もいない小座敷の上りかまちにぼんやり腰かけていたが、入って来たるいを見ると、慌てて前掛をはずした。

「おいでなさいまし。この度はうちのが大変な御恩を受けまして……なんとお礼を申し上げてよいか……」

といいかけるのを、るいは軽く制した。

「おめでとう存じます。私どもが何かしたわけではございません。長助親分のお人柄と長年の御苦労が実ったことで……私どももどれほど嬉しゅうございましたことか……」

こんな端近かで、とおえいが小座敷に座布団を並べ、るいだけが上へあがった。

「実はお祝に参りましたの。ささやかではございますが、これをお内儀さんに……お気に召して頂けるとよろしいのですけれど……」

るいが風呂敷に包んだ着物をおえいの前へおき、傍からお吉が註釈を加えた。

「お嬢さんのお見立てなんですよ。うちの若先生が、長助親分の今日あるは、みなお内儀さんの内助の功だからっておっしゃいましてね」

おえいがまっ赤になった。

「それじゃ、昨日、麻生様から頂戴致しましたのも……」

「はい、麻生様からの御依頼で、お嬢さんが……いえ、うちの御新造様がこの着物に合せてお召しになれるようにと……」

「申しわけねえです。あたしのようなものにまで……」

おえいが両手をついて頭を下げ、すぐ袂を目に当てた。

そんな様子をみて、るいがふと訊いた。

「親分は、畝様のお供ですか」

「いいえ、今日はこの界隈の旦那衆が、お祝をして下さることになりまして、深川の平清さんへ参りましたので……」

お吉が手を打った。

「そうそう、そういや、長助親分から聞いてましたよ。あたしとしたことが、つい、うっかりして……」

改めて店の奥の仕事場をのぞいた。

「それじゃ、悴さんも……」

おえいがうなずいた。

「旦那衆が声をかけて下さいまして、長吉も連れて来るようにと……」

「お内儀さんは留守番なんですか」

「あたしは不調法者で、とてもそんな晴れがましいところには出られません。こうやって店で働いているのが一番なんですよ」

新しい客が入って来て、るいは腰を上げた。

長助はともかく、悴夫婦も留守となると、店は職人とおえいだけに違いない。

おえいは何度も礼を繰り返し、るいとお吉を店の外まで見送って、そこで亦、丁寧に頭を下げた。

「なんだか、おえいさん、寂しそうじゃなかったかしら」

永代橋を渡りながら、るいが呟き、お吉が首をかしげた。

「なんででございます」

「長助親分のお祝の席なのですもの。やっぱり、一緒にお出かけなすったほうが……」

「あのお内儀さんは内気な人ですから……それに、女が料理屋へ招かれたって、旦那衆に頭ばっかり下げなきゃなりませんし、かえって気詰《きづま》りなものでございますよ」

お吉の考えを、るいは否定しなかった。けれども、夫と悴夫婦、それに孫までが打ちそろって出かけた後に、職人と店を守っていたおえいの、どこか気が抜けたような姿が目に残っている。

別に料理屋へ招かれたいというのではないと、るいは同じ女の立場で考えた。長助にとって、今度のような慶事はそう何度もあるとは思えない。町内の人々に祝われている亭主の傍にいて、祝って下さる方々に心から頭を下げたいというのが、女房の気持というものではないのだろうか。

たしかに内気な女にとって、そうした席は気詰りには違いないが、それでも、嬉しそうな亭主の顔をみ、まわりの人々にありがとうございますと礼をいう幸せは、連れ添った女房でなければわからないことではないかとも思う。

だが、るいはそうした自分の気持を誰にもいいはしなかった。もし、自分がおえいだったら、やはり店に残って留守番をするといっただろうと気がついたからである。

夕方から夜になるに従って、長寿庵は忙しくなった。

職人とおえいと二人きりの板場はちょっとした修羅場だったが、それも五ツ（午後八時）になると店には客の姿が消えた。

今夜は早じまいにしようと職人に声をかけ、おえいは外へ出て暖簾を下した。

空にはかなり丸くなった月が出ている。

誰かが自分をみているような気がして、おえいは暖簾を持ったまま、道のむこうを眺めた。すっかり葉の落ちた柳の木かげに男が一人立っている。

おえいがそっちを見るのと同時に男は急ぎ足に歩き出した。永代寺へ続く道の方角へ、とっとと消えて行く。

どこかで見た顔だと思い、店へ入って暖簾をしまってから、はっと思い出した。

おえいの実家の近くに、今はもうなくなってしまったが、小さな駄菓子屋があった。どういう事情があったのか、悴夫婦が他国へ行ってしまったとかで、じいさん、ばあさんが孫娘と暮していた。

おえいの母親が不愍《ふびん》がって、よく下駄だの、人形だのを買ってやっていたが、その孫娘のおときというのが、今は同じ佐賀町の魚屋の女房になっていた。

だが、おときには魚屋の女房になる以前、いい仲の相手がいた。辰吉という木場人足だが、男前は悪くなかったにしろ、短気で喧嘩早く、あれでは夫婦になってもおときは幸せになれまいと周囲が心配している中に、辰吉は祭のいざこざで相手に大怪我をさせ、結局、百叩きの上、江戸おかまいとなった。

その時、おときはもう臨月に近いお腹を抱えていた。

魚屋の清五郎と夫婦になったのは、辰吉が江戸を追放になって三年目のことで、おときは子連れで佐賀町へ嫁いで来た。それから数えても、十五年が過ぎている。

まさか、とおえいは立ちすくんだまま、閉めて来た店の入口をみつめた。辰吉が江戸へ帰って来る筈はなかった。もし、みつかれば捕えられる。

今度は百叩きに江戸追放ではすまない筈であった。

二

辰吉らしい男をみかけたことを、おえいは亭主に話しそびれた。

なにしろ、その夜の長助は足腰が立たないほど飲んで来た。いや、飲まされて来た。

それでも我が家までは悴に助けられて歩いて来たものの、敷居を入ったとたんにひっくり返って、あとはもう、家中が抱きかかえるようにして、なんとか住居にしている奥の部屋へ運び込むと、寝巻に着替えさせる間もなく大鼾をかいて眠りこけてしまった。

翌日は宿酔《ふつかよい》で一日、枕が上らない。

世話人達が様子をみに来て、

「すまないことをした。俺達がつい悪強いをして、長助親分をとんだ目に遭わせてしまった。どうか、勘忍して下さい」

と詫びをいう。

「なにをおっしゃいます。うちのが我を忘れて頂きすぎたので、とんだ御迷惑をおかけ申しました。でも、当人はさぞ嬉しかったんでございましょう。どうぞ、お許しなすって下さいまし」

亭主の代りに、おえいは何度も詫びをいい、お辞儀を繰り返した。

午が過ぎて、店が一段落してから、おえいは悴夫婦にことわって近くの下駄屋へ出かけた。足駄の歯を取り替えてもらいにあずけてあったのが、もう出来ていると思ったからである。

ここ三、四日晴天が続いているが、この季節、天気が崩れるといつ、雪や霙《みぞれ》になるかわからない。

下駄屋へ行く途中に魚屋があった。

おときが嫁いだ店である。

昨日、辰吉らしい男をみかけた後だったので、おえいは少々、気になって店の前で足を止めた。

いつもなら清五郎が魚をさばいている店先に、おときがいて大笊《おおざる》に干物を並べている。

「清さん、どうしたの」

と声をかけると、

「河岸《かし》で、どうとかしたはずみに腰をひねっちまったとかで、痛がって立っちゃいられないっていうもんだから、今、按摩さんに来てもらっているんだけど、商売物の段取りがつかないんで困っちまってね」

情なさそうな返事である。

「清太さんは……」

と重ねて、おえいが訊いたのは、おときの連れ子の清太郎のことで、時折、商売を手伝っているのを知っていたからであった。

「それが、ここんとこ、うちのと気が合わなくってね。ちょいと叱言《こごと》をいうとすぐとび出しちまうもんで……」

いつまでも立ち話でもないと思い、おえいは、

「清さん、お大事に……」

と挨拶をして下駄屋へ行った。

新しい歯が入った足駄をぶら下げて川っぷちを戻って来ると、もやってある小舟の上に男が二人いて、その一人が清太郎であった。

「清ちゃん、あんた、早く帰っておやんなさいよ。お父つぁんが腰を痛めちまって、おっ母さんが困ってたから……」

清太郎の前にいた男が、おえいのほうをふりむいた。辰吉である。

ぎょっとしたおえいに背をむけると、竿を取って舟を岸から離した。そのまま狭い川筋を器用に仙台堀のほうへ漕いで行く。

「清ちゃん」

と呼んだが、清太郎はふり返りもしない。

舟は忽ち水路をまがって見えなくなった。

僅かの間、おえいは岸辺に立っていた。どうにもいやな予感がする。

御府内へ立ち戻ってはいけない筈の辰吉が場所もあろうに深川へ姿を現わし、しかも、実子の清太郎と会っている。

どうやって清太郎に近づいたのか、いったい何を話していたのかと不安であった。

ただ、故郷なつかしさにたまらなくなって帰って来て、それとなく成長した我が子の姿をみて行こうというのではなさそうであった。

ともかくも、おときにだけは知らせておかなければと思い、おえいは走り出した。

おときに声をかけ用心するようにいってから、家へ帰って辰吉のことを亭主に話す。

もし、辰吉がただ生まれ育った土地が恋しくなって深川へ来てしまったというのなら、ことが公けにならない中に、江戸から立ち去るよう、うちの人なら配慮してくれると思う。血も涙もない岡っ引に辰吉がみつからない中に、少しでも早く辰吉を江戸から出すことが、おときや清太郎のためであった。

息を切らせて魚屋まで来ると、店には小僧がいて、魚を桶に移し替えていた。

「お内儀さんは……」

と訊くと、旦那が腰を痛めて按摩を呼んだが、手に負えないというので、お内儀さんがついて骨接《ほねつ》ぎの先生の所へ連れて行ったという。

止むなくおえいは長寿庵へ向った。

この季節のことで、あたりは薄暗くなって来ている。

我が家へ戻ってみると、

「親父さんなら、今しがた八丁堀の畝の旦那の御屋敷へ行ったよ」

昨日に続いて今日も、町廻りのお供をしそこなっている。

「御新造様に旦那の行先をうかがって、ともかく、そっちへ廻るといっていたよ」

といわれて、おえいは途方に暮れた。

頼りにする亭主がいないのでは、他にどうするという思案もなかったが、なんにしても、おとき夫婦が気がかりであった。

「ちょいと、魚屋のおときさんの所へ行って来るから……」

もしも、亭主が帰って来たら、すぐにそっちへ来てくれるよう伝えておくれ、といいおいて、再び表に出た。

大川のほうから薄く靄《もや》が上って、足許を吹く夜風が冷たい。

魚屋の店には清太郎がいた。

入って来たおえいをみて、慌てて作りかけの荷物を背後にかくす。

荷作りをしていたのだと気がついて、おえいはその前にすわった。

「あんた、まさか、この家を出て行く気じゃないだろうね」

「出て行くんだよ、小母さん……」

覚悟をきめたというふうに顔を上げた。まだ、幼さが残っている顔の上げ方でもあった。

「どうして……」

「俺の親父が迎えに来たからさ」

「あんたのお父つぁんは……」

「知ってたんだよ。ここの親父が本当の親じゃあねえってことは……」

「だからって……」

「はじめて知ったよ。俺のお父つぁんは、ここの清五郎に欺されて江戸を出て行ったんだとさ。帰って来てみりゃあ、惚れた女が清五郎の女房になっている……」

「なにをおいいだね。冗談じゃない」

「お父つぁん、泣いてたぜ。十八年を無駄にしたって……」

「辰吉がなんといったか知らないが、そんなのはでたらめだよ」

「小母さんは知らねえんだよ」

思い出したように荷作りをはじめた。

「俺は魚屋にむいてねえ。お父つぁんと江戸を出て横浜って所へ行くんだ。そこにはいくらだっていい仕事があるんだと……」

「お待ちったら……」

肩で息をしながら、おえいは考えた。これは、よくよく辰吉に丸めこまれていると思った。

生まれてはじめて会った父親の言葉を真に受けている少年に、なにをいっても通じはしないだろうと思いながら、おえいは必死になった。

「だったら、せめて、ここの家のお父つぁんとおっ母さんに、きちんと話をして……」

「話はして行くよ。お父つぁんが、ちゃんと話してやるって……」

「辰吉が……」

「もうすぐ、ここへ来るんだ」

おえいは立ち上って外をのぞいた。すでに夜であった。

「おときさん、どんなに悲しむか。清五郎さんだって、あんたを本当の子のようにかわいがって育てて来たっていうのに……」

荷作りを終えた清太郎がうつむいた。

「だけど、お父つぁんだってかわいそうだよ。たった一人で……江戸にも居られねえような身の上で……俺はお父つぁんの子なんだから、ついて行ってやるのが本当だろう」

「辰吉が、ついて来てくれといったの」

「そうだ。俺と一緒に来いって……」

表に黒い影が立った。

「おい、坊主、支度は出来たかよ」

辰吉だとわかって、おえいは夢中で店からとび出した。

「あんた……辰吉さん、なんだって江戸へ帰って来なすった」

「おえいさんだったたな」

辰吉がいやな笑い方をした。

「お前、亭主に知らせて、俺を縛らせようってのか。どっこい、そうは行かねえ。俺の背後《うしろ》にゃ、横浜の怖い親分衆がついていなさるんだ。下手なことをすりゃあ、仕返《しけえ》しがおっかねえぞ」

おえいがきりっと奥歯を嚙んだ。

「そんな悪党が、清ちゃんを連れて行ってどうする気だ。お前、あることないこと、清ちゃんに吹き込んで……お前が江戸おかまいになったのは自業自得だろう。お奉行様のお裁きで江戸追放になったのを忘れたのか」

「うるせえ」

「清ちゃん、欺されちゃいけない。こいつはとんだ悪党だよ」

川っぷちを男と女がよろめきながら近づいて来た。

「おえいさん」

おときが叫び、清五郎が呼んだ。

「うちに何かあったのかね」

おときの手の提灯が辰吉の顔を照らし出した。

「あんたは……」

「おときだな。暫く見ねえ中に婆あになったもんだ」

「なにしに来たの。今時分……」

「俺の餓鬼を受け取りに来たのさ」

「なんだって……」

店先に立ちすくんでいる清太郎へ、清五郎がころがるようにかけ寄った。

「いけない……清太郎はやらん。俺の子だ、誰にも渡さん」

「邪魔しゃあがると、怪我するぜ」

懐中に手を入れると、いきなり匕首《あいくち》を抜いた。

おときが悲鳴を上げ、辰吉はそれに狼狽したのか、体の向きをかえて、おときにとびかかった。清五郎がおときをかばった。

「うっ」

と呻くような声が上ったのは、匕首が清五郎を切り裂いたのか。

血走ったおえいの目に大川沿いの道を提灯が近づいて来るのが映った。

「お助け下さい、お助けを……」

絶叫しながら、そっちへ走った。

若党一人をお供につれた立派な武士と、おえいは感じたが、その顔をみたわけではなかった。

「人殺し……人殺しでございます」

武士はおえいをみ、その指す方角へ走った。

おえいも死にもの狂いでついて行く。

魚屋の前では、すさまじい光景がくりひろげられていた。

血まみれの清五郎をかばって、おときが手当り次第に魚を投げつけ、そして、清太郎も狂気のように心張棒をふり廻して、辰吉に向っていた。

武士が素早く、清太郎の手から心張棒を取った。

「ひかえよ。慮外者ッ」

一喝してふり下した心張棒に、辰吉の体はあっけなくひっくり返った。すぐ、若党がとびかかって両手を後へ廻す。

武士が下げ緒を取って若党に渡した。頂いて若党はきりきりと縛り上げる。

「おおい」

と、いささか場違いな、のんびりした声が大川のほうから道を折れて来た。

提灯をかざして、

「なにか、あったのか」

おえいがふりむいた。

「あんた……」

「おえいか」

「あんた……早く来て下さい」

長助が魚屋の前へ来た。

武士がおっとりと声をかけた。

「長助、よい所へ参った」

提灯のあかりが、くっきりと武士を浮び上らせて、おえいは世の中に、こんな立派で、こんな美しい殿様がいるのかと目を見張った。

そのおえいの目の前で、長助が平蜘蛛のように這いつくばってお辞儀をした。

「こりゃあ、神林の殿様……いってえ、これは、どうしたことでございますか」

三

その夜の長寿庵は前代未聞のさわぎになった。

畝源三郎がかけつけて来る。

神林東吾がふっとんで来た。

神林通之進は小座敷にすわって、長助が作った蕎麦を旨そうに食べていた。

「東吾、遅いではないか」

十二月の夜に大汗をかいている弟へ通之進は機嫌のよい声で呼んだ。

「麻生の義父《ちち》上のお具合はかなりよくなったぞ。七重の話だと今日は鰻を召し上ったと申す」

「麻生家へお見舞にお出かけだったのですか」

麻生家の当主、通之進の妻、香苗の父に当る麻生源右衛門は風邪をこじらせて病臥中であった。

「あそこは名医がついていますから、滅多なことはございますまい」

「宗太郎は、まだ油断がならないというて居った。年よりの風邪はなにかと厄介だそうじゃ」

「そのお帰りに、長助の内儀さんが声をかけたわけですな」

おえいは、ただもう、ぼうっとして何回となく頭を下げ、それでも目のすみで通之進に見とれていた。

　こんなきれいな殿御は猿若町の芝居でも見たことがない。なんと上品で、凜として、おまけにお優しくて、まあなんともふるいつきたいくらいに惚れ惚れしてしまう。うちの人はこちらの殿様のお屋敷にお出入りさせて頂いていたそうだが、これからはなにがなんでも自分が蕎麦粉を持ってうかがおう。そうして、もしも、殿様が縁先にでもお出ましになって、おえい、御苦労であった、なぞとおっしゃって下さったら、もう、死んでもいい、女冥利に尽きるとは……いやいや、冥加に余るとは、こういうことに違いない。

　うっとりと考えていたおえいは、突然、はっとしてとび上りそうになった。

「おえい、見事であった。流石、長助の女房、大事を小事にて食い止めたる手柄、改めて御沙汰があろう」

　光源氏か、業平様かというような笑顔がおえいに会釈をなさった。

「厄介をかけたな、皆々、参るぞ」

　ぞろぞろと人々が出て行くのを、おえいは声もなくみつめていた。

「おっ母さん、お見送りを……」

　悴に肩を叩かれても、まだ夢から覚めないような気分であった。そんな女房を、長助が不思議そうにふりむいて眺めた。

　畝源三郎の取調べにより、辰吉は横浜で人買いの仲間と悪事を働いていたことが発覚し、遠島となった。

清五郎は肩や腕に傷を受けたが、いずれも深手にはいたらず、命に別状はない。むしろ、どうにも痛くてたまらなかった腰が、あのさわぎで嘘のように治ってしまった。

そして、清太郎は神妙に魚屋の商売を手伝っているという。

そんな報告をして長助が帰ると、「かわせみ」の居間には穏やかな冬の陽が縁側一杯にさし込みはじめた。

「兄上がおっしゃったよ。今度の手柄は長助の女房だと。あいつが辰吉をみつけて、どうもおかしいと気をつけていたから魚屋一家は助かったんだ」

辰吉は清五郎を逆怨みし、おときに執念を持っていたから、下手をすると何をされたかわからない。

「清太郎だって、のこのこついて行けば、売りとばされたか、悪事の手先に使われたか、とんでもない一生になっちまったかも知れなかったんだ」

「畝様がおっしゃっていましたよ。お上からちょっとですけど、おえいさんに御褒美が出ますって……」

「長助の奴、女房に頭が上らないな」

「宿酔で寝ていたんですものね」

顔を見合せて笑った。

「ここだけの話だぞ。源さんが、この前、長助が頂いた新しい十手と捕縄は、内儀さんにやったほうがよかったんじゃないかとね」

「それは、あんまりでございますよ」

お吉と遊んでいた千春が、ととさま、かかさまと呼びながら走って来た。

「そうだ、忘れていた。今度の正月には、千春にも凧《たこ》を作ってやる約束だったんだ」

慌てて東吾が立ち上り、るいはずっしりと重い我が子を抱き上げた。

そして、その頃、おえいはいつものように悴夫婦と釜場で働いていた。

生《な》さぬ仲、継《まま》しい仲なんぞと誰がいったものかと思う。

辰吉にむかって心張棒をふり廻し、生《な》さぬ仲の父をかばって死にもの狂いだった清太郎の様子が瞼の中に残っている。

うちの長太郎だって、いざという時はああやって、あたしを守ってくれるに違いない。

おえいは、後妻であった。悴の長太郎は前妻の忘れ形見だった。

長助の祝が平清で行われた時、長太郎夫婦と孫だけがついて行き、自分が留守をした際に、なんとなく自分だけはのけものといった感じがしたのは、そのせいであった。

だが、今、おえいの心の中のそのこだわりは、きれいさっぱり消えている。

「おっ母さん」

蕎麦粉をこねながら、長太郎がおえいを呼んだ。

「何を考えているんです。釜の湯が煮えたぎっているから、気をつけないと……」

「神林の殿様だけどねえ。団十郎も菊之丞もかなわないよねえ」

長太郎の女房のおはつがくすくす笑った。

「おっ母さんったら、こないだっから、そればっかり……」

表の通りを煤竹《すすだけ》売りの声が流している。

嫁入《よめい》り舟《ぶね》

一

この年の正月「かわせみ」は子供達の集合所になった。

八丁堀の神林家からは麻太郎が、畝源太郎とその妹のお千代を誘って現われると、本所の麻生家からは花世が弟の小太郎と共にやって来た。

「お正月の御挨拶に参りました」

と言葉だけは神妙だが、

「あたし達はかるたをしましょう。小さい子は双六《すごろく》……」

と花世が女親分よろしく取りしきって、やがて東吾が帰って来ると、

「凧をあげましょう。誰のが一番高く上るか、くらべっこです」

と、正月の晴着の袂を襷《たすき》でくくり上げ、裾をはしょってまっ先に川っぷちへとび出し

て行く。

　それが一段落すると、羽根つきだ、独楽廻《こままわ》しだと、みんな、まっ赤な顔をしてとびはねている。

「あの連中、どれが男の子の遊びで、どれが女の子のやるものかの区別もついてねえんだな」

　と、子供を遊ばせることにかけては天下一品の東吾が笑い、

「犬の仔みたいにじゃれ合っていられるのも今の中《うち》ですよ。男女七歳になったら席を同じゅうせずってことになるんですから……」

　二人の子を送りがてらついて来た麻生宗太郎が笑った。

　その宗太郎はまだ年が明けたばかりだというのに、患家の病人を診《み》に行くとのことで、相変らず重い薬籠を提げている。

「東吾さんは御存じですか、本所方をつとめる高岡兵左衛門どのといわれる仁ですが……」

　病人の名を宗太郎が口にし、東吾はうなずいた。

「倅の兵太郎というのが八丁堀の道場へ来ているよ。太刀筋もいいし、稽古熱心でね。あの年頃の連中では一番、しっかりしている」

　たしか、昨年から奉行所へ見習に出ている筈だと東吾がいい、傍にいた嘉助がそっと口をはさんだ。

「高岡様では、たしか、昨年の春に御新造様がお歿りになったと聞きましたが……」

「御新造のほうは、わたしが診たわけではないのだが、かなり肥っていて、始終、立ちくらみやめまいを起していたそうだから、御当人が気づかぬ中にどんどん悪くなっていたのだろう。倒れたと知らせが来て、八丁堀の芳庵先生がかけつけた時には、もういけなかったという話だった」

女房が他界して、丸一年にもならぬ中に、今度は主人が病床にあると聞いて、東吾がいった。

「病人の世話は誰がしているんだ」

宗太郎がこともなげに答えた。

「娘がつきっきりで世話をしていますよ。よく気のつく、しっかり者です」

「いや、高岡のところは兵太郎が一人っ子の筈だ」

「兵太郎どのの妻女ではないかな」

「あいつは、まだ独りだよ」

「そうですか。すると、親類から手伝いに来ているのかも知れませんね。なかなかの器量よしでしたよ」

「病人を診に行くのか、器量よしの娘を見に行くのか、知れたもんじゃねえな」

「東吾さんではあるまいし……」

「なんだと……」

「帰りに寄りますから、それまで、おてんばと腕白のお守りをたのみます」

「いうにゃ及ぶさ」

なにしろ、花世も小太郎も遊ぶのに夢中で父親が出かけて行くのにも気がつかない。

やがて、

「さあさあ、おやつでございますよ」

とお吉が声をかけ、子供達は各々、手を洗って居間に集まり、ぼた餅や稲荷鮨などを食べた。

で、東吾も子供達と車座になって茶碗に手をのばしたのだが、なんとなく眺めていると、花世は弟の小太郎の面倒をみ、源太郎は妹のお千代の世話を焼いている。そのせいか、ごく自然に麻太郎は千春のために海苔巻を取ってやったり、膝に敷いた手拭が下へ落ちたのを拾い上げ、元のように晴着の膝へ広げたりなぞしている。

その様子は子供達に茶をいれているるいや、団子だの干柿だのを次々と運んで来るお吉の目にも映ったらしい。

食べるだけ食べて、子供達が東吾を囲んで庭へ出て行くと、後片付をしていたお吉が、

「麻太郎坊っちゃまは本当にお優しゅうございますね。まるで千春嬢さまの兄上様のようで……」

といった。たしかに庭へ出て行く時も、麻太郎は千春の手をひいていた。

「珍しいのでしょう。あちらも、いつもお一人ですから……」

お吉に返事をしながら、るいは別のことを考えていた。

並んでものを食べていた麻太郎と千春が実によく似ていた。眼鼻立ちもだが、体つきやちょっとした動作が本当の兄妹のように似かよっている。

麻太郎が八丁堀の神林家の養子になって間もなく、世間では、麻太郎を神林通之進のかくし子だと、まことしやかに噂をしていたのは、るいの耳にも入っていた。

無論、るいは麻太郎の身の上について、東吾からくわしく聞いているし、麻太郎の母とも、麻生家の招きで出かけた能の会で会っている。その折、七重から自分の友達の清水琴江という人で、柳河藩の重役の許へ嫁入りしていると聞かされてもいるから、麻太郎が神林通之進のかくし子でないことは承知していた。

従って、世間というものは、まことしやかにでたらめを流すと苦笑していたのだが、今日、千春と麻太郎を眺めてみると、世間がそうした噂をするのも無理ではないと思えるほど、二人には共通点がある。

千春は三歳になって、急に東吾に似て来た。

「かわせみ」のみんながそれは認めていて、お吉なぞは、

「まあ、若先生がむこうをむいて、なにかなすっていらっしゃる時の首筋のところが、千春嬢さまとそっくりで……」

なぞといっては目を細くしている。その千春と麻太郎が似ているというのは、とりもなおさず、麻太郎も東吾に似ていることになる。

心に浮んだことが不安で、るいはお吉にいった。

「麻太郎さまって、なんだか、うちの旦那様の子供の時によく似ていらっしゃいませんか」

お吉が嬉しそうに笑った。

「若先生より、通之進様にそっくりでございますって、番頭さんが……。やっぱり、一つお屋敷で親子としてお暮しになると、お身のこなしだの、ちょっとしたお癖なんぞが似てくるものなんでございましょうねえ。番頭さんがいってましたよ。八丁堀の或る旦那様がまだ赤ちゃんだったお方を御養子になすったら、まるで実のお子のようにそっくりにおなりなすって、誰も御養子と思わなかったとか。産みの親より育ての親って申しますもの、そういうこともあるんですねえ」

るいは、なんとなく合点した。そういわれてみればそういうものかも知れないと思う。長年、つれ添った夫婦が、どことなく顔形が似て来るのは、毎日のように同じものを食べ、同じような暮しをしている中にそうなるのだと聞いたことがある。

親子にもそれはあるに違いない。

麻太郎が神林家へ来て、すでに一年になっている。

「あと十年か、十五年もしたら、大変でございますよ。通之進様のお若い時にそっくりにおなりなすったら、そりゃもう、おもてになって、おもてになって……出来ることなら、その頃まで長生きして、御立派なお姿をこの目に焼きつけてから、あの世へ参りたいものでございますよ」

お吉の声が柄にもなくしんみりして、るいはつい笑い、それで心の中の不安がどこかへ消えてしまった。

一方、東吾は東吾で、彼らしくもなく内心ひどく考え込んでいた。

暮のことだったのだが、講武所で槍術の教授方をしている吉橋孫右衛門という旗本が、東吾を呼び止めてこういったものだ。

「貴公の兄、神林通之進どのには、最近、養子を迎えられたそうじゃな」

同じ教授方でも、東吾の父親といってもよい程の年長者なので、東吾は神妙に、

「はあ、左様です」

と答えた。

講武所の教授方を勤める者は、決して高禄ではないが、旗本や御家人からえらばれたのが多かった。無論、例外はある。

東吾も例外の一人で、町奉行所の役人、つまり与力や同心の家に生まれたというのは、他にいなかった。町奉行所の役人は罪人を扱う故に不浄役人と蔑称されることがある。

そのために、表むき口には出さなくとも、東吾に対して、不浄役人の弟が教授方とは、といった目をむける者があるのは、東吾も気がついていた。吉橋孫右衛門もその一人だが、東吾のほうは全く気にしていなかった。

どこの世界にも偏見を持つ人間はいる。こだわるのは愚かと割り切っていて、吉橋に

対しても、年長者に対する礼を尽していた。

吉橋のほうも平素はなにもいわない。

だが、今日は少々、様子が変っていた。

「神林の家は、そこもとが継がれるのではなかったのか」

東吾は軽く会釈をした。

「たしかに兄が左様に考えていた節はございますが、兄もまだ、それほどの年でもございません。加えて、手前がお上の思《おぼ》し召《め》しにより、講武所並びに軍艦操練所の御役につきましたこともあり、たまたま、縁あって養子を迎えたと申すようなわけでございます」

「まだ幼いそうじゃな」

「本年七歳になりましてございます」

「通之進どのに、よう似ているとやら聞いたが……」

相手の意図が読めたが、東吾はさりげなく苦笑した。

「左様ですか……」

「かくし子という噂もあるとか……」

「そのようなことはございません。不幸にして両親共にすでに他界致しましたが、れっきとした出生の者でございます」

吉橋がふんという顔をして部屋を出て行ってから、近くにいた同僚の松村進三郎というのが、そっといった。

「神林どの、お気になされな。彼《か》の仁は今日、上役よりお叱りを受けた。その八つ当りでござろう」

それは、東吾も小耳にはさんでいた。吉橋が弟子の中、つけ届けをする者には至極、親切な指導をし、そうでない者にはねちねちといたぶるような稽古をするというのは、だいぶ前から講武所内の噂になっていた。おそらく、それが上役の所まで届いて注意を受けたに違いない。

「気にはしませんが、人の家のことをよく御存じなので驚きましたよ」

「なんでも、御新造のかかりつけの医者が八丁堀に居住しておるとか……」

「なるほど、そういうことでしたか」

八丁堀に住む与力はおおむね三百坪程度の敷地をお上から賜わっている。宅地としては広いので、その一部を人に貸している者もあって、勿論、内々のことだから町人相手では具合が悪く、いつの頃からか、もっぱら医者という例が増えていた。

医者にしてみれば、まあ治安はよいだろうし、うまくすればよい患家を紹介してもらえるかも知れないと、喜んで借り手となる。八丁堀の住人にしても、近くに医者の家があるのはなにかと便利と、双方の利害が一致した結果、八丁堀の七不思議の一つに数えられるほど、医者だらけになっている。

吉橋に神林家の内情を話したのは、その医者の一人かと東吾は納得した。

同僚は気にするなといってくれたし、東吾も気にしないと答えたのだが、その日の稽古を終えての帰り道、東吾は途方に暮れていた。

八丁堀に住む医者が吉橋に話したというからには、麻太郎が神林通之進のかくし子との噂は八丁堀中に広まっているものと思えた。

無責任な噂、でたらめもいい加減にしろと怒り切れない東吾の立場であった。

兄は、弟のかくし子を、事情を承知した上で神林家の養子としてひき取ったので、東吾にすれば、兄の慈悲に心中、手を合せて感謝している。

それだけに、この上、兄に汚名を着せてはという切実な気持がある。

といってどうしようもなかった。

一度広まった噂は容易なことでは消せないし、消す方法もみつからない。

そして、暮から初春へ、ずるずると日が過ぎた。

愕然としたのは、正月、「かわせみ」へ遊びに来た麻太郎が千春と並んでいる姿を眺めた時であった。

誰の目にも、これは兄妹とみえるだろうと思った。

通之進と東吾は、子供の時、兄は母親似、弟は父親似といわれたものであった。

しかし、そこは兄弟で、長ずるに及んでよく似て来た。東吾のほうが一寸ばかり背が高く、父親似の武ばった体つきをして居り、その分、兄の秀麗さに負けるが、声はそっくりで、まだ東吾が兄の屋敷に同居していた頃、兄のもの言いを真似て、兄嫁を欺して二人で大笑いしたことがある。

だから、麻太郎が東吾に似て来たということは、他人の目には通之進似と映るわけで、かくし子説はそこから出て来たに違いない。

実際、吉橋も、麻太郎が通之進に似ているそうだとはっきりいっていた。

二

七草の日、軍艦操練所の仲間と新年を祝う集りがあった。

夕方から柳橋の「梅川」へ集って酒をくみかわし、飯を食ったのだが、思いの外、早くおひらきになった。

もっとも、場所柄、それから先の楽しみを持つ連中もいたが、大半はまっすぐ帰途につく。

東吾も途中まで二、三人連れ立って来て各々に別れた。

まっすぐ「かわせみ」へ帰るつもりが、ふと思いついて八丁堀へ足を向ける。

やはり、この際、兄にははっきり話をしておこうと考えたからである。

麻生宗太郎と七重の祝言の夜、雪の中を帰る途中、身投げをしかけていた清水琴江を助け、送って行った家で、彼女の不幸な幼時の体験を打ちあけられた。その記憶のせいで、最初に嫁入りした相手とは契りを結ぶことが出来ず、不縁になり、今、また再縁の話があるが、同じ結果になるのではないかと怖れている娘は、ひそかに想っていた東吾に抱かれることで、その不安を取り払いたいと必死に思いつめていた。

なにしろ、まともでは考えられない出来事だったし、東吾にとっては有難迷惑でしかなかったのだが、その結果、麻太郎が誕生したとなると、雪の夜のまぎれごととすまされない。

もっとも、清水琴江は東吾に迷惑のかかるのを怖れて、最後まで真実を明らかにしなかったが、いくら彼女が麻太郎は歿った夫との間にもうけた子だといい張っても、生まれた日といい、なによりもこれだけ東吾に似ていてはかくしようがない。

これまで、東吾はその間の事情を麻生宗太郎にだけは打ちあけていたが、兄には話していなかった。

ひょっとすると、麻太郎が父母を失い、孤児になった時に、宗太郎が兄に告げたのではないかと推量はしていたが、けじめとしてこの際、自分の口から兄に説明するべきだと思案して兄の屋敷へ寄ったのだが、出迎えてくれたのは兄嫁の香苗《かなえ》であった。

たった今、麻太郎を寝かせたところだという。

「寝つきのよい子なのですよ。私が着替えを手伝って布団に入れますでしょう。掛け布団をかけて、少しだけ寄り添っていますと、すぐに眠ってしまいます」

麻太郎がこの屋敷へ来てから、ずっとそうしていると、兄嫁は嬉しそうにいう。

「兄上は、まだお下りではありませんか」

「今夜は寄合で中洲の四季亭と申す家へ出かけていらっしゃいます」

もうお戻りになるでしょうから、と香苗にいわれて、東吾は居間へ通った。

「手前も、今夜は柳橋の梅川へ仲間と集った帰りなのです」

酒の匂いがしているのではないかと思い、東吾は正直にいった。

「御酒が足りないようでしたら、お持ちしましょうか」

笑顔で勧められて、慌てて手をふった。

「いや、もう充分です」

「お腹はおすきではありませんの」

「満腹です」

「では、お茶をさし上げましょう」

茶簞笥から急須を取り、湯呑を出して香ばしい煎茶をいれる。

湯呑を押し頂いて、東吾はおやと思った。その湯呑は東吾が兄の屋敷の居候の時、使い続けていたものである。

東吾の視線をみて、香苗が微笑した。

「そのお湯呑、私が東吾様にさし上げましょうかと申しましたら、旦那様があちらには夫婦茶碗がおありだろうから、それは、ここにおいておき、東吾様がいらした時に使ったらとおっしゃいましたので、ずっといつもの所にしまってありますの」

唐津風のなんでもない湯呑だが、東吾がたまたま通りすがりの瀬戸物屋でみつけ、気に入って買おうとしたら、五客《ごかく》揃いだといわれた。

格別、高価なものでもないので、そのまま揃いで買って来て、義姉にみせていた所、兄が、

「使い勝手がよさそうだな。わしにも一つくれ」

といい、兄弟がお揃いで日用使いにしていた。その中に遊びに来た七重が目を止めて、

「余分におありなら、父のとうちの旦那様に頂きます」

と二つ持って行き、もう一つはそれ以前に、やはり東吾の部屋へやって来た畝源三郎が、

「いい湯呑ですね」

と賞めたのがきっかけで、彼がもらって行った。

従って、この屋敷にあるこの湯呑は兄のと東吾のと二つきりである。

湯呑一つをみても、兄の優しさが心にしみるようで、東吾は鼻の奥が熱くなった。

「おかわりをさし上げましょうか」

東吾の飲み干した湯呑をみて、香苗が声をかけ、東吾は、

「頂きます」

と返事をし、それをきっかけのように思い切っていった。

「今夜は兄上と義姉上に、改めてお詫びを申し上げに参ったのです」

行儀よく茶をいれながら、香苗は目を伏せたまま、応じた。

「私に……」

「義姉上のお耳にも入っているのではありませんか。麻太郎が……兄上のかくし子と……」

香苗が手を口許にあてて笑い出したので、東吾はあっけにとられた。

「お笑いになりますが、実際、そのような噂が出廻って居るのです」

「よろしいではございませんか。いいたい人にはいわせておけば……」

「義姉上……」

「それとも、東吾様はなにかお困りのことがございますの」

「いや、ただ、手前の不調法の故に兄上に御迷惑をおかけして……」

「迷惑と申すようなことは、なんにもございません。私ども夫婦にとって、麻太郎は天から授ったかけがえのない我が子なのでございます」

きっぱりいい切ってから、香苗が娘の頃のようにかすかに頰を染めた。

「どうぞお笑いにならずに聞いて下さいましね。私、この頃、麻太郎は本当に私が産んだような気がしてならないのでございます」

はっとして、東吾は兄嫁をみつめた。

香苗は瞼を赤くし、袂で自分の腹部をかくすような仕草をした。

「愚かなことを申すとお笑いでしょう。気は確かかとお叱りを受けるかも知れません。でも、真実、私はそんな気持で居ります。あの子はこの私が腹を痛めた大事な子、いくら考えても、そうとしか思えませんの」

うつむいて、東吾は自分の両膝をつかんだ。

深川の長助《ちょうすけ》がいつも香苗のことを観世音菩薩のように思っているが、今夜の東吾にとって、正しく兄嫁は観世音菩薩であった。

そして、兄嫁の心はそのまま兄の心であるのに東吾は気づいた。

これほど心をこめて、一人の不幸な少年を両手に抱きしめて、惜しみない愛を与えている兄夫婦に、弁解も説明も無用と悟って、東吾は改めて手を突き、頭を下げた。

「もはや、申し上げる言葉もございません。東吾は果報者でございます。身に過ぎた兄上、義姉上のお情を頂いて、ただ、もう……」

懐紙を出して顔に当て、東吾は子供のように泣いた。

「帰ります。義姉上、この顔で兄上にお目にかかったら……」

「侍が泣くものではないとお叱りを受けますかしら」

笑おうとした香苗の目が明らかに濡れている。

「御心配は要りませぬ。旦那様はその時が来たら、麻太郎には真実を語ってやりたいと仰せになりました。そうして、そうした上でも、麻太郎はわれらの子だと……どうぞ、そのことをお胸の中にしまっておいて下さいますように……」

兄嫁に送られて、東吾は兄の屋敷を出た。

夜が更けて寒気はきびしくなっている。道のふちは白く霜が降りていた。

歩き出して間もなく、一軒の家の前に人が四、五人立っているのがみえた。

その中の一人が、高く提灯をかかげた東吾に気がついて走り寄って来た。

畝源三郎である。

「高岡兵左衛門どのが歿られたのですよ」

夕方から容態が急変して、麻生宗太郎がかけつけて来たが、今しがた息を引き取ったという。

宗太郎はまだ屋敷の中にいると聞いて、東吾は門を入った。

屋敷内はひっそりしていて、奥の部屋のほうにかすかながら人の動きがみえる。

その奥から男が一人出て来た。

「今夜は松の内でもあり、身内だけで仮通夜をし、明夜、本通夜。明後日に野辺送りということになった。お集まりの方々は左様、御承知願いたい」

そういったのは、歿った高岡兵左衛門の同僚で、知らせを聞いて集った人々は、納得して各々に帰って行った。

宗太郎が若い男女に送られて出て来たのは、その後で、若い男のほうが東吾をみて、

「先生……」

と声をかけた。高岡兵太郎である。

「今、ここを通りかかって御不幸を知ったところだ。さぞかし残念であろう。惜しいお方をなくしてしまった」

東吾が頭を下げ、若い娘がわあっと泣き出した。

「もっと早くに、麻生先生に診て頂きましたなら、このようなことにはなりませんでしたのに……」

宗太郎が娘を制した。

「いや、無念ですが天命と申すものでしょう。力足らずしてお役に立てなかったこと、深くおわび申し上げます」

兵太郎が丁寧に頭を下げた。

「麻生先生のお力にて、父は苦しむこともなく、安らかにあの世に旅立ちました。心からお礼を申し上げます。ありがとうございました」

傍から畝源三郎が、何か手伝うことがあればといったのに対し、兵太郎は礼を述べ、

「今夜は、手前と妹と、二人だけの通夜にしとうございますので……」

松の内なので、寺にも声をかけず読経も慎むつもりと答えた。

で、男三人が挨拶をして外へ出る。

「ちょっと拙宅へ寄りませんか。あいにく女房は子供連れで実家のほうへ行っていますが、お清めの酒くらいはありますよ」

と源三郎がいう。たしかに畝家は三軒ほど西であった。

源三郎の女房、お千絵の実家は蔵前の札差であった。両親はすでになく、一人娘のお千絵が畝家へ嫁いだ後、店は先代からの奉公人がしっかり守って、一応、お千絵が形の上では女主人ということにして商売を続けている。

「商家では七草にいろいろとしきたりがあり、殊に我が家ではお千絵が正月中、こちらに居りますので、七草に店の者と正月祝をすることにしています。奉公人も一緒になって双六だの、福笑いだのをして遊ぶそうで、子供達もたのしみにして出かけるのです」

今夜は蔵前の店のほうに泊って、明日、帰って来るといい、源三郎は寝ぼけまなこの女中を制して、自分で居間に酒を運んで来た。

宗太郎は茶碗をもらって、一息に酒を飲んだ。

「何年、医者をやっていても、つらいものですよ。患者の命を守り切れなかった時は……」

深い息を吐いて、源三郎が火鉢であぶったするめを器用に指で裂き、くしゃくしゃと嚙んでいる。

「なんだったのだ。高岡どのの病は……」

東吾の問いに低く答えた。

「胃の腑に、悪性のできものがあったのです」

早くに発見出来て、手術に成功すれば、命をとりとめる可能性もあるのだが、

「高岡どのの場合は、できものが他の臓器にまで移っていましたので……」

もはや、手の尽しようもなく、ただ、患者の痛みを和らげる方法しかなかったという。

「それで、あの娘が泣いたのか」

源三郎がそっといった。

「高岡どのは八丁堀に住む医者に二年ほど前から厄介になっていました。よく腹痛を起していましたし、血を吐いたこともあったのですが、その医者は働きすぎのせいだと灸などを勧めていたのです。兵太郎どのが心配して手前に相談に来られたので、麻生どのをわずらわせたのですが……」

「八丁堀の医者にはやぶが多いというからな」

東吾が呟いたのは、神林家の事情を講武所の吉橋に告げたのも、八丁堀に居住する医者と聞いていたからだったが、

「そんなことはありません。東吾さんや畝さんが子供の頃から厄介になった高橋先生は八丁堀住いですぞ」

と宗太郎に睨まれた。

高橋宗益というのは、古くから八丁堀に住んでいる医者で、もう七十になろうという年輩だが、医学に対して非常に謙虚で、宗太郎のような年下の者の意見にも耳を傾けるし、蘭方に関しても常に新しい知識を求める姿勢がある。

宗太郎にとっては母方の祖父の弟子に当る人だが、その豊かな経験と数多くの臨床例を学ぶために、よく高橋邸を訪ねているのは東吾も源三郎も知っていた。

「ところで、高岡どのの娘さんですが、縁談が決ったばかりのようですね」

二杯目の酒を、今度はゆっくり飲みながら宗太郎がいった。

「兵左衛門どのが病床で気にされていました。もし、自分に万一のことがあっても、喪

中だからと延期にせず、なるべく早くに祝言をさせたいと兵太郎どのにも話し、手前にも、その折はまわりの者を説得してくれるようにと申されました」

源三郎がするめを焼くのをやめて、自分も盃を取り上げた。

「これは、高岡家と親しい者はみんな承知していることなのですが、あの兄妹は母親が違うのですよ」

兵太郎は昨年の春に他界した兵左衛門の正妻の子だが、妹のほうは他に出来た子なのだといった。

「他といっても、いささかこみ入った話なのですが、東吾さんは兵左衛門どのが養子なのを御存じでしょう」

「定廻りの今井進兵衛どのが兄だろう」

つまり、今井家から高岡家へ養子に入ったので、妻の正江は高岡家の一人娘であった。

町奉行所の与力、同心は比較的、仲間内で縁談をまとめる者が多いので、兵左衛門の例は決して珍しいことではなかった。

「これは、お涼どのが昨年の夏、高岡家へひき取られてから、兵左衛門どのが手前に話されたのですが、お涼どのの母御は兵左衛門どのの従妹に当り、しかも、親が早くに歿って今井家へひき取られていたそうです」

一つ家に育って、恋が生じ、夫婦約束が出来ていた所に、突然、高岡家から養子の話が来た。

「兵左衛門どのは断り切れず、高岡家へ入って正江どのと夫婦になったものの、皮肉なことに正江どのが兵太郎を妊《みごも》って、どうにも体調が勝れない、で、高岡家に出入りの商人が石浜に持っている寮があいているので、暑い間だけでもそちらで静養してはどうかと勧めたのです」

正江が女中を連れて、大川べりの石浜の寮へ移った後、兵左衛門の身の廻りの世話をするために今井家から従妹のおさきがやって来る。

「そうして妊ったのが、お涼どのだったそうです」

東吾が大きく嘆息《ためいき》をついた。

「若気のいたりって奴だな」

宗太郎が焼きっぱなしのするめを裂きながら訊いた。

「おさきという女は、どうなったのです」

「川越のほうの知り合いの家へ身を寄せて、お涼どのを産んだ後に、のぞまれて川越の菓子屋へ嫁いだとのことです」

歳月が過ぎ、やがておさきは夫に先立たれた。

「おさきどのも三年ほど前に歿られて、兵左衛門どのとしては、なんとしてもお涼どのをひき取りたいと思ったが、正江どのの手前、いい出せない。ですが、昨年、正江どのが歿って、漸く御自身で川越へ行かれて、お涼どのを江戸へ連れて戻り、一つ屋根の下で暮すようになったのです」

お涼はすでに二十四歳になっている。

女としては嫁き遅《い》れの年齢であった。

「成程、それで、縁談を急がれていたのですね」

宗太郎が呟き、

「そういった不幸な境遇にあった娘さんとはとても思えませんよ。明るくて、はきはきしていて、よく気がつく。病人もお涼、お涼と甘えているようで、いい親子だと感心していたのですが……」

宗太郎が兵左衛門を診るようになったのは昨年の秋の終り頃からだが、すでにお涼はすっかり高岡家にとけ込んでいたといった。

三人が各々、一合余りの酒を飲み、するめをかじって、やがて東吾と宗太郎は畝家を辞したのだが、高岡家の前を通ると、奥の部屋のあたりに灯影がみえて、かすかに線香の匂いが外へ洩れていた。

三

高岡兵左衛門の野辺送りは、八丁堀組屋敷の南側にある玉円寺で行われた。

軍艦操練所の勤務を終えて東吾がかけつけて行くと、参列者の中に畝源三郎と麻生宗太郎の顔がみえた。

喪主の兵太郎は独身なので、妹のお涼と並んで参列者に挨拶をしていたが、焼香に来た者の中にはお涼をてっきり兵太郎の妻とかん違いをしてくやみを述べるというのが、けっこう多かった。たしかに、よく見れば目鼻立ちに似たものがあるのだが、悲しみに沈んでいるお涼を気遣いながら喪主としてふるまっている兵太郎の様子に、まるで新婚早々の妻に対するような情感がある。参会者の多くが錯覚を起しているのは、そのせいかも知れないと東吾は眺めていた。

で、帰り道、途中まで一緒になった宗太郎に、

「兵太郎兄妹は腹違いだが、おたがいにこだわりのようなものは持たなかったのかな」

といってみた。宗太郎はちらと東吾の横顔をみたが、

「たしかに二十数年も経って、いきなり兄よ妹よとひき合わされたのでしょうから、どちらにも途惑いはあっただろうと思いますよ。しかし、わたしが高岡家へ行くようになった頃のお二人は、実に仲のよい兄妹でしたね。お涼さんは何事によらず、兵太郎どのを頼り切っていましたし、兵太郎どのもお涼さんに感謝していましたよ。なにしろ、病人の世話は奉公人の手を借りず、一切、お涼さんがしていたのですから……」

「兄妹というものは、赤ん坊の時から一緒に育ったのと、成長してから名乗り合うのでは、随分、違うのだろうな」

どこか屈託している東吾の様子に宗太郎は笑った。

「東吾さんは何を考えているんですか」

この友人の前では心中をかくし切れず、東吾は頭に手をやった。

「俺は、兄上に、いや義姉上にも、えらい迷惑をかけてしまったと思ってね」

「七重の奴が、どこからか噂を聞いて来たのですよ、八丁堀の神林家では御当主のかくし子を養子として披露したと……」

まっすぐ正面をみながら、宗太郎はいつものとぼけた口調で話し続けた。

「我が女房がいいましたよ。神林の義兄上様だから、みんな嬉しがってそんな噂をする。これが東吾様のかくし子を義兄上様が養子にされたというのなら、誰も驚きません。なんだ、そういうことか、あっはっはでおしまいですとさ」

返事が出来なくて苦笑している東吾を、穏やかな目で眺めた。

「手前は真実を女房に話していません。真実を知らない七重がそういうことを申すのですから、世間といい、噂といい、なかなか含蓄《がんちく》のあるものとは思いませんか」

「義姉上がいわれたんだよ、麻太郎は自分が産んだような気がすると……」

「凄いですね」

宗太郎の目が輝いた。

「実に義姉上らしいですよ。あの義姉上なら本当にそう思われているのでしょう」

豊海橋の袂で別れる時、宗太郎は東吾の目の中をのぞくようにしていった。

「川の流れにさからうのはおよしなさい。暫くは黙って流れて行くことです。その中にさまざまのものがみえて来ますよ」

「医者というのは、坊主みたいな口をきくんだな」

「医者の手におえなくなったら、坊さんにまかせるしかないでしょう」

心が軽くなったわけではないが、にがりが豆腐を固めたように、東吾の動揺がそれなりに腹の底におさまったようであった。

二月になった。

「かわせみ」の庭の梅が咲き揃った頃、東吾は八丁堀の道場で高岡兵太郎に会った。

どうも日頃の彼らしくないと思ったのは、自分よりも格段に腕のたつ相手に我武者羅《がむしやら》にかかって行く。それはまだしも打たれても打たれても参ったとはいわず、猛然と竹刀《しない》をふりかぶり、体当りなぞするので、相手になった者は当惑し、もて余す恰好になってしまう。

暫く眺めていて、東吾は竹刀を取って兵太郎の前に立った。

「高岡、俺が相手をする。かかって来い」

僅かに動揺しながら、兵太郎は遮二無二、打ち込んで来た。東吾の体が自在に動いて、兵太郎の竹刀をかわす。長身でがっしりした東吾の体が、まるで柳の枝のようにしなやかに、且つ敏捷に相手をやりすごすのを弟子達は声を失ってみつめていた。

道場を走り廻るのは常に兵太郎であり、東吾の体は動いているようにみえて、中央から殆んど位置が変っていない。

やがて兵太郎は自分の汗で目がくらんだのか、道場の羽目板にぶつかってひっくり返った。

東吾が近づいてみると、防具をつけているので怪我はなさそうだが、息が上ってしまって如何にも苦しげである。東吾は彼の面をはずし、胴を取って、衿元をくつろげてやった。

「そのまま、動くな。下手に動くと心の臓が停るぞ」

おどかしておいて、別の弟子の稽古をつける。

八丁堀の道場へ東吾が出るのは久しぶりのことだったので、次から次へと稽古をつけてもらいたいという若者が続き、最後の一人が、

「神林先生、ありがとうございました」

と手をついた時には、すっかり陽が落ちていた。

兵太郎が一息ついた所でそっとお辞儀をして道場を出て行く姿を目に止めていたので、もはや心配はないと思いながらも、「かわせみ」へ帰る道筋なので、気にしながら高岡家の前を通ると、かなりきびしい兵太郎の声が門の外まで洩れて来た。

「とにかく帰りなさい。いつもいっているように、わたしのことなら心配はいらない。それより嫁入りまでに学ばねばならぬことがいくらもある筈。一刻も無駄には出来ぬ。お頼みした畝どのの御新造にもあいすまぬではないか。そんな心がけでは良い花嫁にはなれぬぞ」

声にはじきとばされたように、立ち止っている東吾の目の前に、お涼がとび出して来た。

よくよく逆上しているのか、東吾の姿も目に入らぬようで、袂で顔をおおったまま、暮れた道を走って、畝源三郎の屋敷と思われるところへ入って行った。その姿を見送っていると、門を出て来た兵太郎が、

「先生……」

慌てて、頭を下げた。

「申しわけございません。お詫びを申してから帰るつもりでしたが、あまりに面目なくて、つい……」

「帰るところはみていたから、大丈夫だろうとは思ったのだが、あまり無茶はするな」

兵太郎が思いつめた目を上げた。

「むさ苦しいところですが、お寄り下さいませんか」

「では、ちょっとおまいりをさせて頂こう」

居間に案内され、仏壇に香をたむけた。

高岡兵左衛門が歿って、ぼつぼつ一カ月になる。

「さっき、ちらとみたのだが、お涼どのは畝の屋敷へ行っているのか」

おそらく奉公人に近づくなといって来たのだろう、兵太郎が自分で茶を運んで、東吾の前へおいた。

「実は、父の初七日が終りましてから、畝どのにお願いして、妹に嫁入りのための修業をして頂いて居ります」

お涼は川越の商家で育ったのだが、亡父が決めた嫁入り先は酒井大和守忠和の家中で、微禄ながられっきとした藩士だと兵太郎は話した。

「武家へ嫁ぐには、それなりの心得がなくてはなりませんので、畝どのの御新造になにもかも教えて頂いて居ります」

「酒井大和守様というと、房州平群《へぐり》勝山藩だな」

「左様です。禄高は一万二千石とのことですが、平群勝山は里見領であったのを寛永年中より酒井様が代々、領主として来られたとか、上屋敷は下谷広小路にあります」

亡父と酒井家の用人、紅林《くればやし》善左衛門が昵懇で、そこからまとまった縁談だという。

「良縁だな」

「はい、父もこの上もない縁組と喜んで居りました」

下級武士とはいえ、名家の藩士へ嫁ぐとあっては、行儀作法やさまざまの稽古事も必要なのに違いない。

「畝家の御新造ならまかせておいて心配はない。第一、目と鼻の先だ。通うにも都合がいいな」

東吾が笑ったのに対し、兵太郎が低く答えた。

「いえ、畝どのには申しわけありませんが、通いではなく住み込みにして頂きました」

反射的に何故だと訊こうとして、東吾は口を結んだ。

父親の野辺送りの日、何度となく夫婦と間違えられていた兵太郎とお涼を思い出したからである。

「野暮を承知で訊くが、世間の奴らからつまらぬことをいわれたのか」

「いえ、用心のためでございます」

父が歿る以前はともかく、兄妹二人になって、はじめて世間の目というものに気がついたと兵太郎はいった。

「子供の時から一緒に暮していればまだしも、手前共のような場合は、やはり当り前の兄妹とは違うだろうと思います。お涼は幸せうすく育った娘で、手前に頼り切っています。手前にしても、身近に優しい娘が出来て嬉しくもあり、心穏やかでない場合もございます。畝どのにおあずけしたのは、お涼が心ない噂に傷つかないため、また、手前自身のためでもございます」

東吾がうなずいた。

「若いのに、よく量見した。心中立ちさわぐものを鎮め切れん時は、いつでも声をかけろ。稽古でも酒でもつき合ってやるよ」

「ありがとうございます。先生にお話し申し上げて、自分の気持がおさまりました。御厄介をおかけして申しわけありません」

高岡家を出て大川端へ帰って来ると、畝源三郎の妻のお千絵が帰って行くところであった。

「おるい様に、お頼みごとがあって参りましたの。長居をしてしまって……」

会釈をして去るのを見送っているるいに、

「なんだ」

と訊くと、

「茶道のお稽古をおたのまれしましたの。高岡様とおっしゃるお方の妹様が、間もなくお嫁にいらっしゃるとかで……」

「なんだと……」

「お千絵様も茶道のお稽古をなさいましたのに、御自分は苦が手だからと……」

「あそこの夫婦は、なんだかだとこっちにものを押しつける名人だな」

「よろしいでしょう。なるべく、お留守の中にお稽古をしますから……」

「そりゃあかまわないさ」

るいが寂々斎楓月という茶の湯の師匠の高弟であるのは知っているから、東吾は笑いながら合点したのだが、考えてみると、とんだめぐり合せだという気もして来る。

四

お涼は毎日のように「かわせみ」へ稽古に来ているらしいが、東吾が講武所や軍艦操練所へ出かけている留守中のことなので、顔を合せる機会はなかった。

「今どき珍しいくらい、初々しくて、素直なお嬢様ですよ。そう申してはなんですけど二十四にもおなりなすっているようにはみえませんね。十六、七で立派に通用致しますですよ」

と早速、お涼の贔屓になったのは女中頭のお吉で、番頭の嘉助も、

「御苦労なすったせいか、少々、寂しげなところがありますが、よく気のつく、ひかえめなお方で、あれならお嫁にいらしても、むこうの親御さんに気に入られるに違いありませんよ」

僅かの間に太鼓判をおしている。

師匠役のるいも、

「利発で、とても勘がよい方なのですよ。茶道具の扱いにも心がこもっていて、お教えしていて張り合いがございますの」

と東吾に話す。

改めて東吾はお涼という娘を認識した。

客扱いに馴れていて、人をみる目の確かな「かわせみ」の連中が口をきわめて賞めるだけではなく、お涼という娘に心惹かれている。

高岡兵太郎が妹と知りながら、心穏やかならざることがあるといったのが、東吾にも推量出来た。

そのお涼の嫁入りの日が近づいた。

一応、亡父の遺言を考慮し、先方と相談した結果、高岡兵左衛門の四十九日が終ってから、吉日を卜《ぼく》してと決まり、盃事は酒井家の上屋敷の内にある用人、紅林善左衛門の

住居で行われることになった。その後、お涼は殿様のお国入りに先立って勝山藩へ帰る夫と共に江戸を発って行く。

「平群勝山といえば、江戸から三十六里とか。近いといえば近いのかも知れませんが、お嫁にいらしたら、そう江戸へ帰って来るってわけにも参りませんでしょう。お涼さんはさぞかし心細いと思います」

るいがいえば、お吉までが、

「歿ったお父様がお決めになったんじゃ仕方がありませんけど、もう少し、江戸の中でいいお相手をみつけたほうがよかったんじゃありませんかねえ」

と不平を洩らす。

遠いのがいいのだと東吾は考えていた。

おそらく、高岡兵左衛門の心中にも、万一という怖れがあったのではないかと思う。異腹の兄妹が憎からず思い合ったら悲劇が目にみえている。

その日、東吾が軍艦操練所を出たのは、いつもより遅く、曇天のせいもあって大川は夕暮れていた。

春とはいっても、風はまだ冷たい。

川べりに沿って南飯田町を過ぎ、明石橋を目の前にして、東吾は立ち止った。

橋の上に女が一人、遥か彼方を眺めるような恰好でたたずんでいる。

女の後姿が頼りなげであった。今にも夕靄の上っている大川へ吸い込まれそうな危うさがある。

女がお涼とわかって東吾は大股に近づいた。

むこうも気がついて、こっちを眺め、小腰をかがめた。

「今、お帰りでございますか。御新造様にはいつも御厄介をおかけして居ります」

「俺を知っているのか」

「かわせみ」では会ったことがなかった。

「神林先生のほうは御存じないと思いますけれど、何度もおみかけして居ります。兄が先生の御指南を受けている御縁で、亡父《ちち》の野辺送りにもお出で下さいました」

まじまじとみつめられて、東吾のほうが視線をはずした。

「今日は、茶道の稽古は終ったのか」

「御新造様が楓月先生のお宅へお伴い下さいまして、免状を頂戴致しました」

嫁入り支度の一つであった。

「御新造様は、まだ先生の所に御用事がおありなので、私だけお先にお暇致しました」

寂々斎楓月の家は本願寺の近くだから、八丁堀へ帰るのに、大川端へ出て来る必要はない、と東吾が思ったとたん、

「明石橋からは江戸湾がみえるかと思いまして……」

とお涼がいった。るいが指摘した通り、無類に勘がいい。

「勝山と申しますのは、木更津のずっと南とか……」

東吾は手を上げて方角を示した。

「大方、この見当かな。俺も房州は木更津から先へは行ったことがない」

お涼は背のびをするようにして、その方角へ視線を向けている。

心細さがその横顔に滲み出ているようで東吾はいった。

「三十六里は遠いかも知れないが、どこへ行っても、あんたはもう一人じゃない。あんたの幸せを心配しながら願っている兵太郎がいるんだ。そいつを忘れないことだな」

背をむけたまま、お涼が小さくいった。

「江戸へ出て来た時、なんと幸せなのかと思いました。母は歿りましたけど、父がいて、兄がいて、すがりつける人がいるというのはどんなに有難いことかと……」

「嫁に行ったら、御亭主にすがりつくんだ。あんたのような娘にすがりつかれて、悪い気のする男はいないよ」

お涼がかすかに微笑んだ。

「幸せにならなければと思って居ります。こんなにも多くの方々から、御親切を頂いたのですから……」

東吾の目の前で、お涼の表情が急に変った。

「世の中とは不思議なものだと思います。もしも、私と兵太郎様が兄妹ということを、二人とも知らなかったら……、そうして、二人が廻り合ったら……」

肩を小刻みに慄わせ、お涼は東吾に頭を下げると小走りに本願寺の方へ走り去った。

お涼の言葉は、東吾にとって別の意味で衝撃的であった。

異腹の兄妹が、それとは知らず廻り合って恋をして夫婦になる。一生、真実を知らずに添いとげたとしたら、いったい、どうなのだとお涼はいったのだと思う。

もし、麻太郎と千春が将来、恋をして夫婦になりたいと願ったら、二人は表むきは従兄妹となっているが、麻太郎は養子で神林家とは血の続きはないことになっている。

明石橋の上で、東吾は石になったように、茜色に染まっている江戸湾の空を凝視していた。

木更津通いの船だろうか、春の海を白い帆かけ船がゆっくりと遠ざかって行く。

沖はもう暮れていた。

人魚《にんぎょ》の宝珠《ほうじゅ》

一

大川の水もぬるみ、いつの間にか土手の柳が青々と芽吹いた午後に、「かわせみ」の裏口に止まった大八車から若い衆が菰《こも》にくるんだ大根だの青菜だのを威勢よく下すのを、早速、出て来た女中頭のお吉が指図をして台所へ運び込ませる。

「相変らず、お吉さんは威勢がいいねえ」

といったのは、ちょうど用足しから帰って来た米問屋の主人、伊兵衛で、館林から江戸へ商用で出て来ると必ず「かわせみ」に滞在する常連客であった。

その声で暖簾口まで出迎えた老番頭の嘉助が、

「お帰りなさいまし」

と頭を下げると、伊兵衛は大八車の上の大根を一本、手に取って眺めていた。

「これは、いったい、どこの大根かね」

近づいて、嘉助は苦笑した。

「館林のほうにはございませんか」

「あるのかも知れないが、わたしは見たことがない」

「からみ大根と呼んで居りますそうで……」

傍からお吉が得意そうに口をはさんだ。

「すり下すと、わさびみたいにぴりっとからいんでございますよ。知り合いの蕎麦屋さんが、それをお蕎麦の薬味に使いまして大層な評判になりましてね。高田村のほうのお百姓さんに頼んで作らせているのを、うちも少々、廻してもらっているんです」

「高田村というと……」

「高田馬場の近くで……」

首をかしげた伊兵衛に、嘉助が答えた。

「神田川をずっとのぼった、お江戸の西の方角でございますよ」

それで伊兵衛は納得して「かわせみ」の入口をくぐった。

「連《つ》れは、部屋に居りましょうか」

改めて嘉助に訊いたのは、館林から伴って来た若い女のことで、

「おすみさんでございましたら、先程、お昼餉《ひる》を召し上りまして、そのまま、部屋のほうに……」

と嘉助は答えた。

「それは御造作をかけましたな」

上った伊兵衛がなんとなく帳場の横に腰を下したので、嘉助は煙草盆を取って、その前へ廻った。

「どうも困りました」

帯から煙草入れを抜いて、伊兵衛は軽く眉間に皺を寄せた。

この客が商用の他に、親類の娘の離縁話に口添えをする目的で江戸へ出て来たことを、嘉助は承知している。

「やはり、和泉屋さんでは、御不承知で……」

水を向けられて、伊兵衛は心の中の忿懣《ふんまん》をすぐにぶちまけた。

「おすみさんの亭主の久太郎さんは、子の出来ないのは夫婦双方の科《とが》だからといってなさるんだが、親のほうはとにかく嫁して三年、子なきは去る、というのが常だからの一点ばりでね。和泉屋は久太郎さんが一人っ子だから、嫁に子が出来ないと、家が絶えると、こう突き放したもの言い方をする……」

「ですが、おすみさんもまだ二十一とのことでございますから……」

「左様ですとも。第一、どうしても子が出来なければ養子という手がないわけでなし……」

台所のほうからお吉の顔がのぞいて、伊兵衛は慌てたように腰を上げた。

「おすみさんに、なんと話したものか、頭の痛いことですよ」

藤の間へ続く廊下を重い足どりで去って行った。

その後姿がみえなくなってから、

「やっぱり、駄目だったんですか」

待っていたように、お吉が帳場へ来た。

「おすみさんも、おそらく駄目に違いないって、お昼餉《ひる》を運んで行った時、泣いてなさいましたよ」

「館林のほうじゃ、親御さんが二人とも、もう歿ったそうだねえ」

煙草盆を片付けながら、嘉助の口調も重くなった。

「おすみさんの兄さんが嫁をもらって商売を継いでなさるそうだけど、おすみさんの下にまだ嫁入り先の決まらない妹さんが二人もいなさるというからねえ」

館林では名の知れた生薬屋だが、両親が健在ならともかく、おすみの立場では実家に出戻りにくいに違いない。

「兄さんが嫁さんに頭が上らないらしいんですよ。婚家から出されたおすみさんが館林へ帰ったのを、何がなんでも復縁してもらえって、伊兵衛さんに頼んで江戸へ送り戻したのも、お嫁さんの差し金だっていいますからね」

「お嫁さんにしてみりゃあ、今だって小姑二人、鬼二千匹だろうが、三千匹になってたまるかということだろうよ」

板前がお吉を呼びに来て「かわせみ」を支える大黒柱二本は各々の職場へ戻った。

台所では、高田村からからみ大根を運んで来た甚助という、名前は爺むさいが、まだ二十五、六の男が、世間話に花を咲かせていた。

殊に若い女中がきゃっきゃっと声を上げて喜んでいる。そこへお吉が加わって、

「おいおい、いつまで油を売っているんだ。いい加減に帰らねえと、高田村へ着く前に陽が暮れちまうぞ」

みかねて嘉助が台所をのぞくまで、女達の嬌声はやまなかった。

夜になって、講武所から帰って来た神林東吾が今年三歳になった千春の相手をしていると、晩餉の膳を運んで来たお吉が、

「若先生は人魚を御存じですか」

といった。

「人魚だと……」

「なんですか、それを食べますと百万年も長生きをするとか」

真顔でお吉がいい、東吾は笑い出した。

「そういうことは知らないが、人魚の話は聞いているよ」

上体が人間の女で、下半身は魚だといわれている、と東吾はいささかくすぐったそうな表情で話した。

「船乗りが海で難破した時に見たなんぞというんだが、まあ、伝説のようなものだろ

う」

「実際には居りませんのでしょう」

千春を抱き取りながら、るいがいった。

「そんなお化けのようなもの……」

「いえ、居りますんです」

お吉が一膝すすめた。

「今日、高田村から来た甚助さんに聞きましたのですけれども、大久保の姿見橋のむこうに神女堂というのがありまして、そこに人魚神を祭っていると申します」

「人魚神だと……」

「はい、若先生がおっしゃいましたように、上のほうは観音様みたいで、お腹から下は魚なんだとか。おまけに片手に宝珠を持っていて……」

「大方、鱗を一枚はがして煎じて飲むと不老長寿とでもいうんだろう」

「そんなもったいないことは致しません。人魚神様に無根水をかけたのを飲みますと、まるっきり年をとらないそうで……」

「無根水ってのはなんだ」

「天から降って来て、地に落ちる前に汲んだ水なんです」

「馬鹿馬鹿しい。大方、奥山の香具師《やし》の口上でしょう」

るいに無視されても、お吉は一向にひるまないで、

「でも、その人魚神にお仕えしている玉栄尼って人は、とっくに五十を過ぎてる筈なのに、どうみても二十そこそこなんですって……」

「女は化粧で化けるからな」

「いいえ、若先生、その玉栄尼って方は顔ばかりじゃなくて、手もお若いそうです」

「手か」

「はい、顔は確かに化けられますけど、手はどうしても年齢が出ますでしょうが……」

東吾がちらりとるいを眺め、るいが急いで袂の中へ手をかくした。

「それに、若先生、その人魚神様に三、七、二十一日のおこもりをすると、子宝に恵まれるんだそうで、随分と遠くから子供が欲しいって方々がおまいりに来るとかで……」

「うちはもういいよ。千春一人で充分だ」

「さいでございます、はい」

東吾の目くばせにやっと気がついたお吉が早々に退散し、るいが長火鉢の銅壺《どうこ》からお燗のついた徳利を取り出して、東吾の盃へ酌をした。

「本当にあの人達は愚にもつかない噂話で一日が暮れるんですから……」

少からずおかんむりの女房の手を、東吾がひょいと取った。

「驚いたな。るいの手は子供の時のまんまじゃないか。いつ、俺に内緒で人魚なんか食ったんだ」

「馬鹿ばっかり……」

するりと手をひっこめて、るいが睨んだ。

「うちの旦那様は本当にお口上手だから。あっちこっちの女の方がすっかり本気になって……」

「よせやい。誰が自分の女房に世辞なんかいうものか」

「存じません」

「ほら、千春の手と並べてみろよ」

「いやでございます」

春の居間は子供を前にして、いつ果てるとも知れない夫婦のはしゃぎぶりが廊下にまで聞えて来て、宿帳を手にした嘉助を立ち往生させたものだったが。

二

向島の桜のたよりもちらほらという季節になって、町廻りの帰りだという畝源三郎が「かわせみ」に立ち寄った。

「先月のことですが、こちらに館林の米問屋伊兵衛と申す者が泊っていますか」

たまたま、帰って来て帳場で嘉助と話していた東吾に訊ねた。

「館林の伊兵衛旦那なら、先月、間違いなくお泊りで……」

嘉助が宿帳を出しながら、

「十日にお出でになりまして、十五日に出立なさいました」

例によってしっかりした記憶を、宿帳が証明した。

「その折、おすみという者を同行している筈だが……」

「はい、伊兵衛旦那は藤の間、おすみさんは梅の間でございまして……」

「おすみは伊兵衛と共に館林へ帰ったのであろうか」

「いいえ、おすみさんはもともと神田の和泉屋さんの嫁で、子が出来ないのを理由に離縁になりかけていたのを、伊兵衛旦那の口ききでなんとか元の鞘におさまりまして、和泉屋さんのほうへお戻りなさると聞きましたが……」

東吾が源三郎の様子を眺めた。

「何かあったのか、源さん……」

源三郎が懐中から一通の文を取り出しながら答えた。

「今日、和泉屋のほうから町役人《ちようやくにん》を通して訴えがあったのですよ。悴、久太郎の元《もと》女房おすみの実家からかような文が来たが、おすみは当家へ戻っては居らず困惑している旨、申し立てましてね」

文を取って、東吾は読んだ。

差出人はおすみの兄の忠二郎で、このたびは伊兵衛様の口添えで、おすみが御当家へ戻ることが出来、大変に喜ばしく思っている。ついては実家のほうでも神信心なぞして、おすみに子が授るよう願をかけているので、この上ともお見捨てなく、何卒、お願い申し上げる、といった内容のものであった。

東吾の手から文を廻されて読んだ嘉助が顔色を変えた。

「それじゃあ、おすみさんは和泉屋へ戻って居りませんので……」

源三郎が重くうなずいた。

「和泉屋では、一月なかばに離縁状を持たせて館林へ帰して以来、おすみの顔はみていないと申しているのですよ」

「館林には帰っていないわけだな」

実家の兄が、何分よろしくと文をよこしているのであった。

「和泉屋さんには帰りにくかったのかも知れません」

嘉助が呟くようにいった。

伊兵衛が口をきいても、一度は拒絶した和泉屋であった。

「伊兵衛旦那は頼まれ甲斐のないことだと、毎日、神田までお出かけになりまして、とうとう、先方が承知したとおっしゃいましたから……」

その間の事情は、無論、おすみの耳にも入っている筈であった。

「先月十五日にここを発ったとなると、もう半月だぞ」

おすみはいったい、どこへ身を寄せているのか。

「おすみは和泉屋へ嫁入りする前、僅かの間ですが、館林公の江戸屋敷に御奉公しているのです」

奥仕えではなく、下働きのお目見得以下だが、実家が藩の御用達という関係で嫁入りの箔づけに奉公したらしい。

「和泉屋は菓子屋ですが、やはり館林様の御用を承っているので、どうもその縁でおすみは嫁入りしたようです」

和泉屋では、おすみに江戸には知り合いがないといっているが、念のため、館林家に奉公している女中などから、話を聞いてもらうつもりだといい、源三郎は一杯の茶に口をつけただけで慌しく「かわせみ」を出て行った。

翌日の夕方、長助を伴って畝源三郎が来た。

館林家で、おすみと同じ頃、奉公していた女中に訊いてみたが、これという手がかりはなかったという。

「おすみは口の重いほうで、傍輩と親しくするふうはなく、その一方、気の強い面もあって、当時、和泉屋から注文の菓子を届けに来るのは若旦那の久太郎の役目だったそうですが、下働きの女達の間で久太郎を廻《めぐ》ってちょっとした鞘当てがあったような話です。結局、勝ち残ったのがおすみというわけでして……」

自分から望んで和泉屋の嫁となったのに、子供が出来なくて離縁となったのは、さぞ口惜しかったろうと、源三郎は推量している。

なんにせよ、おすみの行方に関しては、ふり出しに戻った感じであった。

「今更ですが、和泉屋のほうも心配して居ります。まあ、館林様に御奉公していた女を嫁にもらって、一方的に離縁をし、その行方が知れなくなったことが、藩の重役の耳にでも入ったら、具合が悪いというのが本音でしょうが……」

苦い顔で源三郎がいい、それまで珍しく神妙に茶を運んで来たまま、すみにひかえていたお吉がおそるおそる口を開いた。

「ひょっとして、大久保へ行ったんじゃありませんかね」

そこにいた全員の視線を浴びて、へどもどした。

「いえ、あの……人魚神様のことですけども……」

まっさきに東吾が反応した。

「そういやあ、人魚を祭っているへんてこな尼さんの話があったな」

「高田村の甚助さんから聞いたんですよ」

「なんです、それは……」

源三郎に訊かれて、長助がぼんのくぼに手をやった。

「甚助てえのは、あっしの所へからみ大根を届けに来る高田村の百姓ですが……」

「大久保の姿見橋のむこうに神女堂とかいうお寺があって、そこの人魚神様がはやっているんです。願がけをすれば、子供が授るってことでして……」

るいがお吉につめ寄った。

「その話をおすみさんにしたの」

お吉が小さくなって頭を下げた。

「そうなんです。子供が出来ないって、そりゃあ苦にしてなすったんで、和泉屋さんへ戻ったら、いっぺん、御夫婦でおまいりに行ったらと……」

「なんで、そういうことを早くいわないの」

るいの口調がきびしくなり、お吉はいよいよ身をすくめた。

「まさか、大久保なんぞへ女一人で出かけるまいと……」

源三郎がいった。

「館林家の中屋敷は関口町目白台にあるのです」

もし、おすみが奉公中に何かの用で中屋敷へ出かけていれば、目白台と大久保はすぐ近くではないが、同じ方角といえばいえる。

「あっしが大久保へ行って参《めえ》ります」

自分が紹介した大根売りのお喋りが元《もと》と聞いて、律義な長助がまず叫んだ。

「お寺社が絡むと厄介だ。俺も行こう」

東吾がいい、源三郎が苦笑した。

「わたしも行きますよ。館林家のほうからよろしくといわれて来たんです」

翌朝はまだ暗い中から男三人が八丁堀を出た。

お城の堀を廻って牛込へ入る。

空はよく晴れて風もない。

「春に三日の晴なしと申しますが、今年はいい具合に桜が長持ちしそうでございますね」

牛込の武家屋敷の中を抜けるのを嫌って、牛込弁天町から宗源寺の脇へ出ると、このあたりは寺が多く、境内に桜樹が目立つ。少々、花見の気分になった長助が周囲を見廻し、東吾も源三郎も、御用のための遠出にもかかわらず、ほっとくつろいだ表情になった。

行く手は野原と畑ばかり、どこからか雲雀《ひばり》の囀《さえず》りも聞えて来る。

「むこうにみえるのは、お富士さんだな」

東吾が指したのは、水稲荷社の境内に築かれた富士山信仰のための小山で、駿河の富士山へ出かけられなくとも、この人工の富士山に登拝すればよいというので、江戸の郊外にはよく見ることが出来る。

「大久保にはもう一つ、一橋家の下屋敷の中に大きなお富士さんがあるそうですよ」

源三郎の声も、どことなくのんびりと聞える。

水稲荷社は、禅芙山宝泉寺の境内の榎の穴から水が湧いて、その水が眼病によく効くというので水稲荷社が祭られたものだが、肝腎の水はもう湧いていない。

高田馬場はその西方であった。

長い馬場の周囲は松が植えられ、その外側には茶店が目立つ。陽気のいい頃になると、江戸からの行楽客がやって来るためだが、見た所、そう人の姿はない。

長助が茶店で訊いて、甚助の家はすぐにわかった。

「昔は、ここらあたりも牛込の内に入《へえ》っていたようで、この節は住んでいる者は町方の支配、田畑は代官の支配と少々、厄介だと甚助が申して居りました」

話しながら長助が先に立って一軒の百姓家へ入って行った。やがて野良着姿の若者を、

「甚助でございます」

と、ひっぱって来た。

そこから先は甚助が案内役で高田馬場のふちを廻って亮朝院という寺の前の道を行くとやがて神田川で、架っているのが姿見橋であった。

橋を渡って川沿いに少々行くとこんもりした森があって、石段がおよそ百数十段、その上に小さな御堂がみえた。

男三人が仰天したのは、御堂の前におびただしい行列が出来ていたからで、それがすべて女であった。

「よもや、これがみんな子授りに来てるんじゃねえだろうな」

東吾が低声《こごえ》でいい、長助が並んでいた女達に訊いてみると、

「神女水を買いに来ているんですよ」

いささか恥かしそうにいう。

「天から降った水に、人魚神様の宝珠をつけておいたのを頂いて、毎日、顔につけるといつまでも若くいられるんです」

大真面目で説明されて、長助はあいた口がふさがらないという顔になった。

「その神女水というのは、いくらなんだ」

東吾が長助に代って訊ね、若い女は、

「玉栄尼さんは思し召しでけっこうですとおっしゃるそうですけど、みんな一分以上は包むみたいですよ」

細い竹筒に入っているので、その竹筒はやはり御堂の中で別売りになっていて、一個が三百文とのことであった。

「驚いたな、若返りの水が一分と三百文か」

男達があっけにとられている中に、行列は進んで、女達は小さな竹筒を大事そうに抱えて石段を下りて行く。

御堂をのぞいてみると、神女水を売っているのは行者のような恰好をした初老の男で、その下で働いている女達は、甚助の言葉によると、近所から手伝いに来ている信者らしい。

やがて行列が途絶えたところで、行者が御堂の外に出て来た。

「なにか御用でございますか」

不安そうに訊かれて、源三郎がおすみの名を出した。

「住いは神田、或いは館林と申したかも知れぬが……」

子授りの祈禱を受けに来ていないかといったのに対して、行者は机の上の帳面を開いた。

二月と書かれたところに記してある名前は僅か三つであった。

「お子が授りたくてお詣りにお出でなさる方は、あまり多くはございませんので……」

市ヶ谷から来た芳次郎、おたかの夫婦と、大久保村のおきみ。

「そちらは母御がついて来られました」

もう一人は新宿柏木から来た忠兵衛、おさとの夫婦。

「女一人で来た者はないのか。二月十五日、或いは十六日あたりと思うのだが……」

源三郎がねばったが、行者ははっきり首を振った。

「ここに書かれて居りますお方の他には、受付けて居りません」

そこまで断言されると押し返して訊くわけにも行かない。

「子授りのためには三、七、二十一日のおこもりをすると聞いたが……」

という源三郎の問いにも、

「昔はそのようなお方もございましたが、この節は、玉栄尼様の御祈禱を受け、御神札を頂いてお帰りになります。何分にも御堂は手狭でございますし、おまいりの方もそのほうが助かるとおっしゃいますので……」

御堂の奥の御簾《みす》の下っているむこうから、尼姿の女が出て来た。手に青磁色の水瓶を持っている。奉仕で働いていた信者の女が有難そうに受け取って、それを竹筒につめはじめる。

「あちらは……」

と東吾が訊き、行者は、

「玉栄尼様で……」

と答えた。玉栄尼はちらと三人の男のほうを眺めたが、軽く会釈をして再び御簾の奥へ姿を消した。

「厄介をかけた」

帳面を行者に戻し、源三郎が背をむけると東吾と長助もそれに続いて御堂を出た。

参道には、新しい行列が出来ている。

外で待っていた甚助と、行列を避けるようにして神田川のふちへたどりつく。

「きれいな尼さんでございましたねえ」

といったのは長助で、

「あれじゃあ神女水が売れるのも、もっともでさあ」

と慨嘆した。

たしかに、尼頭巾からのぞいた顔はたいして化粧もしていない様子なのに、色白で目鼻立ちのととのったなかなかの器量よしであった。

「どうみたって、二十そこそこじゃございませんか」

甚助が首を振った。

「それだから、みんな不思議だというんで。あの尼さんがあそこに御堂をかまえたのは、俺の婆さんの代で、もう二十年も昔のことだといいますよ」

東吾がいった。

「その頃、尼さんはいくつにみえたんだ」

「今のまんまだと……」

「行者は……行者も一緒に来たのだろう」

「へえ……あの人は龍仙さんというそうですが、来た当時は四十くらいだったと……」

「二十年経って六十か」

「その年輩にみえますね」

と源三郎。

「行者は年をとるが、尼さんは昔のままか」

「ですから、神女水が売れますんで……」

姿見橋を渡り、甚助の勧めに従って、彼の家へ寄った。

甚助の祖母やら母親やら、妹娘までが総出で、もてなしてくれる。草餅の焼いたのやら、粟《あわ》の団子が、なんとなく昼餉を食べそこねていた男達には有難かった。

「御堂で玉栄尼をみかけたが、あの尼さんの本当の年はいくつぐらいなのかな」

渋茶を飲みながら東吾が訊き、海老のように腰のまがった老婆が口をすぼめて笑った。

「まあ、普通にいったら四十は過ぎているところだがね」

「昔から神女水を売っていたのか」

「いいや、神女水を売り出したのは一年前くらいからだ」

「その前は何をしていた」

「まあ、おさすりだなあ」

体の痛いところを玉栄尼が丹念にさすってくれる。

「痛みがすっとなくなるので評判だったが」

「この節、おさすりはやらないのか」

「やらねえなあ。神女水があぁ売れちゃあ、おさすりなんぞ馬鹿馬鹿しいだんべ」

「婆さんはおさすりをしてもらったことがあるのか」

「はあ、近頃は御無沙汰だが……」

「この前はいつ、してもらったんだ」

「二年……いや、三年前になるかなあ」

「婆ちゃ」

と甚助が口を出した。

「一昨年の秋だ。腕が上らなくなって、さすってもらいに行ったがね」

東吾が団子を取り上げながら訊いた。

「治ったのか」

「ああ、長いことさすってもろうて、なんとか動かせるようになっただよ」

「その時、尼さんの手をみたか」

「玉栄尼さんの手かね」

「そうだ。きれいな手だったか」

「そら、きれいだ。水仕事も野良仕事もせんで、俺達のとは違う」

「若い女の手のようだったか」

「若え女の手……」

「そうだ。二十ぐらいの娘の手のようだったか」

老婆が歯の欠けた口で笑った。

「そんなことはねえ。いくらきれいでも若え女というわけには行かねえ、やっぱり、四十の手は四十の手だのう」

「そうか、四十の手だったか」

東吾が大声で笑い、旨そうに団子を食べる。

陽がやや翳って、源三郎が暇を告げた。

おすみの年恰好を告げ、もし、そうした女がこの辺りを徘徊していたのを見た者があったら、長助の所へ知らせてくれと頼み、甚助の家を出る。

高田馬場のへりまで送って来た甚助に、東吾がぽつんと訊いた。

「玉栄尼に子はなかったのか」

甚助が目を丸くした。

「尼さんに子はねえですよ」

「そりゃあそうだな」

再び哄笑して、東吾が歩き出す。

追いついた源三郎が訊いた。

「なんです、いったい」

「多分、母娘《おやこ》だな。母親が死んで、教祖が死んじまったんじゃ商売あがったりだから、娘が母親に化ける」

「玉栄尼のことですね」

「お吉がいってたのさ。人魚神を祭ってる尼さんは年をとらないし、手も若い女なみだと。だから、俺はさっき、玉栄尼の手をみたんだ」

「東吾さんらしいですな」

「甚助の婆さんのおさすりをした手は四十の女。今の玉栄尼の手は、せいぜい二十だ」

「神女水で庶民を惑わすというのは、お寺社の管轄ですよ」

「そうだなあ」

長助が情なさそうにいった。

「おすみさんは、いったい、どこへ行っちまったんですかねえ」

三

一日がかりで男三人が大久保まで行ったにもかかわらず、肝腎のおすみの消息は杳《よう》として知れなかったのだが、それから五日ほど経って館林から伊兵衛が江戸へ出て来た。

「おすみさんが行方知れずと聞きまして、責任を感じまして……」

おすみの実家から頼まれて、おすみを江戸へ伴って来た上に、和泉屋と話をつけた。安心して館林へ帰ったのに、そのおすみは和泉屋へ帰っていないという。

「なんだか、狐に化かされたような気分になりました」

大川端の「かわせみ」へ草鞋《わらじ》を脱いで、伊兵衛が愚痴をこぼし、東吾が訊ねた。

「先月十五日、館林へ帰った日のことだが、あんたはどこでおすみと別れたのだ」

「日本橋のところでございました」

自分は館林へ戻る前に、もう一度、館林藩の上屋敷へ挨拶に行かねばならないので、おすみにどこかで待っていてくれないかといったところ、

「買い物もあるし、もう自分一人で帰れるからと申しますので、こちらもその気になりまして……」

袂を分かったのは、辰の下刻（午前九時）ぐらいではなかったかといった。

「日本橋で五ツ半か」

それから、ちょいとした買い物をしておすみが今川橋跡に近い和泉屋へたどりつくのは、まず巳《み》の刻（午前十時）前後でもあろうか。

商家としてはけっこう忙しい時刻に当る。

伊兵衛を「かわせみ」に残して、東吾は永代橋を渡り、深川の長寿庵へ行った。

長助はいい具合に店にいた。

ざっと東吾が思いつきを話すと、早速、

「お供を致します」

いつものことながら、のみこみが早かった。

永代橋を渡って日本橋川に沿って行く。

「すっかり、陽が長くなりまして……」

東吾から一歩下って歩いていた長助がさりげなくあたりを見廻し、近くに人通りがないのを確かめてから、低い声で訊いた。

「若先生は、おすみが和泉屋へ帰ったとお考えで……」

「自信があるわけじゃないんだが、どうも伊兵衛の話を聞くとおすみが和泉屋へ帰らねえで、まっすぐ大久保の神女堂へ向ったとは思えねえんだ」

短い間とはいっても、大名家へ奉公した経験があり、気の強いしっかり者が、折角、婚家に話をつけてくれた伊兵衛の骨折りを無視して、いい加減な子授りの祈禱を受けに行ってしまうのは、どうも平仄《ひょうそく》が合わないと東吾はいった。

「なによりも、おすみにしてみたら、一度は去り状を出した婚家が、どう自分を迎えてくれるか、そこの所が心配だったに違いない」

長助がうなずいた。

「若先生のおっしゃる通りだと思います」

「しかし、和泉屋では、おすみは帰って来ていないといっているんだ」

日本橋を渡り、室町通りへ出ると人の通行はぐんと増える。大八車が行き、大きな荷をかついだ男が気ぜわしく追い越して行く。

和泉屋は今川橋跡を通り越した左手にあった。

角店で、表は室町からの大通りに面しているが、板塀を廻らした敷地は奥行きがあって、けっこう広い。

鎌倉河岸に抜ける道を入って行くと、やがて裏木戸があった。木戸の前にかなり目立つ蔵が西陽を浴びている。蔵の周囲は庭のようで、銀杏《いちよう》や欅《けやき》の大樹が蔵を取り巻いて天に聳《そび》えていた。

板塀に沿って和泉屋を一巡すると、蔵とは反対側の露地に通用口があった。どうやら、その出入口は和泉屋の住居の勝手口に通じているらしい。

東吾の足は表通りを素通りし、蔵の屋根のみえる木戸口に立った。

「どう思う。長助。おすみが和泉屋へ戻って来たとして、一度は去り状を取って追い出された家だ。まず、表の店の玄関からは入りにくいだろう。といって、勝手口のほうも奉公人の目にさらされる。一番、入りよいのはこの木戸だとは思わないか」

その時、木戸が内側から開いた。初老の女があやしむように東吾と長助を眺める。すかさず、長助が小腰をかがめた。

「こりゃあ、お内儀さん、お出かけでございますか」

東吾にいった。

「こちらは、和泉屋の大内儀《おおおかみ》さんで……」

女が体を固くした。

「なにか、御用でございましょうか」

東吾が屈託のない調子で応じた。

「なに、御当家の蔵があんまり立派なので感心して眺めていたのさ」

女の顔色が変った。いきなり後ずさりして木戸をぴしゃりと閉める。そのまま、木戸のむこうで息を殺しているようであった。

「行くか、長助」

東吾が歩き出し、まっすぐに鎌倉河岸へ出た。

「長助は和泉屋の大内儀を知っていたのか」

竜閑橋を渡り、堀沿いに戻りながら東吾が訊いた。

「和泉屋のほうからおすみさんが帰っていねえと届けが出た後に、畝の旦那のお供をして行きましたんで……」

今のが、和泉屋の若旦那久太郎の母のおさだだといった。

「大旦那のほうは、昨年歿りまして……」

「おすみにとって、おさだは姑だな」

調べてくれと長助にささやいた。

「和泉屋の嫁姑の仲はどんなだったのか。おすみが帰った筈の先月十五日におすみの姿をみかけた者はいなかったか、その日のあたりで和泉屋に何か変ったことはなかったのか」

長助が勇み立ち、東吾は長助と別れての帰りがけに八丁堀の畝源三郎の屋敷へ寄った。

「かわせみ」へ戻って来たのは日が暮れてからで、

「伊兵衛がいたら、こっちへ来てくれるように声をかけてくれ」

と嘉助に命じた。

間もなく居間へやって来た伊兵衛の口から、多くのことが明らかになった。

おすみは嫁入りして以来、姑のおさだと不仲だったという。

「おさださんが一人息子の久太郎さんにべったりで、夜も久太郎さんを自分の部屋へ呼びつけて、たいした用でもないのに遅くまで何やかやと話して時には母子で酒を飲んだりしていると申していました。子供が出来ないのも夫婦の寝ている所へ姑さんがやって来たりして、久太郎さんが落つかないせいだと……」

無論、離縁話もおさだが積極的で、久太郎は母親に押し切られたような恰好らしい。

「まあ、手前が申すのもなんでございますが、おすみさんも相当に気が強い。おまけに館林様へ御奉公に上っていたという見栄がありまして、決して姑さんのいいなりにはならない。今度、離縁を元の鞘におさめますについても、和泉屋さんが無理を押し通すなら、自分のほうは館林様の御重役に訴えると申してくれと……手前もそこまでは口にしたくございませんでしたが、おさださんがあまり頑固なものでして、つい……」

晩餉の支度が出来たとお吉が呼びに来て、伊兵衛が自分の部屋へ戻ってから、るいがいった。

「あなた、おすみさんの行方にお心当りがおありですの」

東吾が軽く顳顬《こめかみ》に手をやった。

「どうも、あまりいい感じではないんだ」

和泉屋の蔵に近い裏木戸の話をした。

「時刻からいって、男達は店だろう。女中なんぞは掃除、洗濯、店と勝手口のほうには奉公人が集っているが、裏木戸はまず人の気配はなかろうと、おすみはそこから家へ入ろうとする。たまたま、姑が蔵にでも用があってやって来た。鉢合せした二人は、とりあえず奉公人にみえない所で話し合おうと蔵へ入る。そういう図式は考えられないか」

千春の下着と着物を一度に着せられるように袖を重ね入れながら、るいが眉を曇らせた。

「でも、まさか、和泉屋さんほどのお店《たな》で……」

「俺もそう思いたいよ」

ふと、東吾はるいの手許に気づいた。それは、いつも千春が湯に入っている間にるいが着替えの用意をする手順であった。

「千春……どうした」

「今、嘉助がお湯に入れていますの」

「なんで、嘉助が……」

「千春をだしにしませんと、嘉助はなかなか内湯に入ってくれませんの。年ですから、もう、外のお湯屋には行かせたくありませんから……」

「そりゃあそうだ」

俺のたのしみが一つ減ったな、と思いながら、東吾は猫板の上の徳利を銅壺に入れた。

「いけません、千春嬢様、裸でそんな……」

お吉の叫ぶ声と、廊下をばたばたと走る千春の足音が居間に近づいて来る。るいが慌てて立ち上った。

四

和泉屋に関して長助が集めて来た情報はかなりのものであった。

まず、和泉屋の近所の家の子守っ子が、十五日の巳の刻頃におすみが例の裏木戸を開けて入って行く姿をみたといい、和泉屋では、女中のおまさが、その時刻、おさだが蔵へ掛物を出しに行くといって庭伝いに蔵へ行ったあげく、長いこと戻って来なかった上に、紙のように青ざめた顔で厠《かわや》へ入り、激しく吐いていたことを長助に打ちあけた。

更に番頭はその夜、手水に起きた時、蔵のほうで物音が聞えたので様子をみに行くと、蔵から血走った顔の久太郎が出て来て、

「なんでもない、おっ母さんの探しものがみつからないだけだ」

むこうへ行ってくれと、激しく追い払ったという。

　また、十六日からは奉公人全部に久太郎が、得意先から大事なものをあずかって蔵にしまったので、勝手に蔵へ入らないように、なにかで必要な時は自分にいってくれるよう、くどいほどいいきかされた。

　実際、蔵には大きな錠前が新しく取りつけられ、その鍵はおさだが寝る間も身体から離さないということであった。

「よくもまあ、これだけ奇妙なことがあったってえのに、和泉屋の連中は気を揃えて黙っていたものでございますね」

　長助が苦い顔で報告し、その上で畝源三郎が決断を下した。

　翌日、和泉屋には町役人が出かけて行き、和泉屋の敷地内からどうも奇妙な臭いがすると近所の者が不審がっている、犬か猫の死骸でもあるといけないから、お上の御用聞きが立ち会いの上、敷地内を検分させてもらいたいと申し入れ、うむをいわさず長助達が庭へ入った。まっしぐらに蔵に向った長助が蔵の鍵をあけるようにいうと、おさだは半狂乱になり、覚悟を決めた久太郎が母親から鍵を取り上げて長助に渡した。

　蔵の中は、こういうことには馴れている長助でさえも、思わず口と鼻を押えてたじろいだほどの臭気であった。

　長持の中から、おすみの死体がみつかり、知らせを受けて畝源三郎がかけつけた。

「どうも、東吾さんの推量がぴったりでしたよ」

　一件落着してからの深川の長寿庵で、源三郎が東吾に話したところによると、おさだは蔵の中でおすみに覆水盆にかえらずと、館林へ帰るよう説得したが、勿論、おすみは承知しない。

「かっとして心張棒でぶんなぐったと申すのですが、それも一つや二つではなさそうですよ。久太郎が母親から打ちあけられたのは夜になってからで、長持に入れるやら、布団でくるむやら、いろいろしたそうですが、やがて臭い出します」

「源さん」

東吾が大きく手をふった。

「その話はかわせみでは禁句だぜ」

「和泉屋の奉公人は、なんとなく気がついていたようですよ。今月になって蔵の近くへ行くと、どうも臭いがする。怖くて仕方がなかったと申し立てていました」

おさだは死罪、久太郎は遠島となり、和泉屋は潰れた。

「今度の件では東吾さんにしてやられましたがね。わたしのほうにも知らせがあるのですよ」

大久保の神女堂の件だといった。

「お寺社にいったものかどうか迷っている中に、関口台町の医者から訴えが出ました」

娘の買って来た神女水を調べたところ、ただの水に香油がたらしてあるだけと知って届け出た。

「お寺社が御堂を取りこわして、玉栄尼と龍仙を追放にしたのですが、御堂の下の土の中から死体が出ました」

もっとも、こちらは殺されたのではなく、病気で死んだもので、

「最初の玉栄尼と、あとの玉栄尼は東吾さんが考えた母娘ではなく、姉妹でした」

姉は生まれつき霊力のようなものがあって、それで人々の治療をした。

「姉が急死して、仕方がないから、それまで池袋村のほうで働いていた妹を呼びよせて、身代りをつとめさせたそうです」

「いくつだったんだ、妹のほうは……」

「三十五になっていたとのことですよ。流石《さすが》、女をみる目を自慢する東吾さんも一杯食いましたね」

源三郎と長助が顔を見合せて笑い出し、東吾は、やけくそのように蕎麦をたぐった。

ひんやりした蕎麦の味が心地よい季節になっている。

往来に気の早い金魚売りの呼び声が流れていた。

玉川《たまがわ》の鵜飼《うかい》

一

一刻あまりも話し込んでいたお千絵が漸《ようや》く帰って、るいはそれまで大人しく一人遊びをしていた娘の千春のために、新しい姉様人形を作ってやりながら考えていた。

この大川端町にある旅宿「かわせみ」から、それほど遠くない八丁堀の組屋敷に住む畝源三郎の妻、お千絵は、るいにとっては長いつきあいの、気のおけない女友達であった。

もともと、蔵前の札差の家に生まれたお千絵は人柄のいい、しっかり者ではあるが、それでも両親が健在の頃はおよそ苦労らしい苦労を知らずに育っている。で、るいのほうが少々、年上ということもあって、「かわせみ」へやって来ると、どうしても妹が姉に甘えるような感じになる。

るいのほうも一人娘なので、そうしたお千絵の態度は不快ではなくて、大方のことは彼女のいうことを聞いてやっていた。

お千絵は聡明なので、無理はいわないし、その申し出はむしろ好意から始まっている場合が多い。

今度もそうであった。決して悪い誘いではないし、正直の所、るいも心が動いていたけれども……。

「おい、そこで源さんに会ったよ」

だしぬけに庭先から声をかけられて、るいは胸を押さえた。

「あんまり、おどかさないで下さいまし」

千春が、

「父様《とと さま》」

と叫んで、東吾に両手をさし出し、るいは改めて、

「お帰り遊ばせ」

近づいて腰の両刀を受け取った。東吾は早速、千春を抱き上げ、沓脱《くつぬ》ぎから居間へ上った。

「なにを真剣に考えていたんだ」

床の間の刀掛けに、東吾の大小をかけているるいの背に訊き、続けていった。

「源さんの奥方が、玉川の鵜飼見物に行こうと誘っていることか」

「畝様がお話しになりましたの」

「行って来いよ。道中はちっと暑いだろうが、むこうはけっこう涼しいらしい。鵜飼なんてもんは、誘いがあった時でもねえとなかなか見られねえぜ」

蔵前の札差御連中の一行だから、江戸から通し駕籠で出かけるので、それなら千春を連れて行っても大丈夫だろうと東吾は腕の中の娘をゆすり上げている。

「お千絵様も源太郎さんとお千代さんをお伴いになるから、是非、千春もとおっしゃるのですけれど……」

「蔵前のお千絵さんの店から中番頭の宇之助が供をして行くそうだ。深川の長助も、もし、るいと千春が行くのならお供を口実について行きてえんだとさ」

それは初耳であった。

「よろしいのでしょうか。蔵前の旦那方と御一緒で……」

「むこうさんはみんな夫婦連れ、それも年寄ばっかりだ。るいが行けば、この上もない目の保養だと大喜びするさ」

「馬鹿ばっかり……」

「俺もついて行きたいが、あいにく、軍艦操練所のほうに揉め事があるし、講武所は教授方に病人が出て人手不足だ。留守番をしているから、名物の鮎鮨でも買って来てくれ」

東吾はすっかりそのつもりになっている。

老番頭の嘉助までが東吾と一緒になって、

「さし出がましいことを申し上げるようですが、お吉さんをお供にしてやって下さいませんか。この季節は厄介なお客様もございませんし、女中もお里やお石がそりゃあしっかりお吉さんの代理をつとめるようになって居りますので……」

心配なことはなにもないといった。

考えてみると、嘉助にせよ、お吉にしろ、長年奉公していて江戸から外へ出ることは数えるほどもない。殊に、お吉は鵜飼などという珍しいものを見せてやったら、さぞ喜ぶだろうと思い、とうとうるいも心を決めた。

鵜飼見物に出かける先は甲州街道の府中の先、日野の宿場から玉川のやや上流へ行ったところだというので、一行は出発の当日、明け六ツ（午前六時）に日本橋で勢揃いした。

蔵前からは板倉屋の隠居夫婦、平兵衛とお喜久に手代が一人、大和屋夫婦と大口屋夫婦はお供をつれていない。

その三組の夫婦に、畝源三郎の妻のお千絵が源太郎とお千代と、蔵前の店から来た宇之助を加えて四人、るいが千春とお吉に長助のやはり四人連れで総勢十五人が、まださわやかな江戸の町を旅立った。

なにしろ、蔵前組の夫婦はいずれも駕籠、お千絵はお千代と、るいは千春と一緒に駕籠だから、ちょっと目立つ行列で新宿までを一息に来た。

内藤新宿は甲州街道へ向う江戸の玄関口だが、東海道の品川宿、奥州、日光街道への千住宿にくらべて、旅人の数はかなり少い。

一行はここで一息入れて、高井戸へ向った。なにしろ、気ままな旅で、街道の風景がよくなるとみな駕籠を下りて、そぞろ歩きとなる。

やれ、あの茶店の饅頭が旨そうだから買いにやりましょうだの、ここは見晴しがよいから一休みしてと勝手をしながら、やがて高井戸を過ぎ、布田五ヶ宿へ着いた。

布田では武蔵国惣社、六所大明神に参詣し、それからは駕籠をいそがせて府中は松本屋という旅籠に投宿した。

各々の部屋へ案内されて、お吉が、

「お嬢さん、あの方々もここに泊ったようですよ」

といった。

お吉があの方々といったのは六所大明神の境内でみかけた三人連れで、五十すぎの如何にも気の強そうな老女とその悴夫婦らしい一行のことであった。

実をいうと、最初に本殿の近くでその人々に会った時、大口屋の女房のお秀が、

「おやまあ、こんな所に清十郎がいますよ」

と冗談をいった。

この春、猿若町の小屋で「お夏清十郎」の芝居がかかり、清十郎に扮した嵐吉三郎の美貌が大変な評判になった。

お秀が目で指した若い男は、たしかにその清十郎によく似ていた。着ているものはどことなく野暮ったいが品物は悪くはない。なによりも目鼻立ちの整った優しい顔立ちで、二十七、八だろうか、若々しくたくましい体つきが女の目を惹きそうであった。

その時はただそれだけだったのだが、参詣をすませて境内の茶店で茶だの団子だのを注文している最中に、若い女が入って来て、しきりにそのあたりを探している。

で、長助が、

「なにか、忘れものでも……」

と訊くと、おどおどと、

「この辺に、お饅頭の包がございませんでしたか」

という。姑が道中、買ったのを自分があずかっていて、どこかに置き忘れたと面目なげにいうのを聞いて、みんなが立ち上って縁台の上や小座敷のほうをのぞいたが、それらしいものはない。

そこへ、先程の若い男が来た。

「どうした、みつかったか」

といわれて、女はかわいそうなほど狼狽した。

「もしかすると、おまいりする時に……」

急に外へかけ出して行った。

若い男は困ったようにその後姿を見送ったが、探してくれたるい達の一行に対して、

「申しわけございません。とんだ御迷惑をおかけ致しまして……」

腰を低くして詫びをいった。走って戻って来たのだろう、うっすらと汗ばんでいて、男の体臭があたりに漂って来る。

「あなた、どこからお出でになりましたの」

と訊ねたのは、大口屋のお秀で、男はその顔をみて首筋まで赤くなった。

「あの……手前どもは……」

と答えかけた声が途中でかすれた。

「申しわけございません。手前どもは堀の内から参りまして……」

表に女が戻って来た。

「すみません。ありました」

お秀が女を眺め、男はお秀に気を残しながら茶店を出て行った。

「あの人、お秀さんに声をかけられて、どぎまぎしていましたね」

と笑ったのは板倉屋のお喜久で、

「無理もありませんよ。お秀さんの前に出たら、どんな木仏、金仏、石仏《いしぼとけ》だって目が眩んで、忽ち久米の仙人になっちまうっていうじゃありませんか」

と大和屋の女房、おしげが応じた。

大口屋の女房お秀というひとを、るいは今日、はじめて見たのだが、娘の頃、蔵前小町と呼ばれたとかで、その美しさはおそらく三十を過ぎているに違いない今でもあまり衰えていないように思えた。しかも、天性のものなのか、札差の女房にしては色気がありすぎる。そのあたりが年長のお喜久やおしげには少からず気になるらしいが、お秀のほうは知らぬ顔である。

ともあれ、堀の内から来たというあの一行も、この松本屋へ草鞋《わらじ》を脱いだとみえた。

もっとも、この松本屋は府中に何軒かある旅籠の中では変り種で、庭に百姓家風の大広間のある離れがあり、客が注文すると部屋のすみにある囲炉裏で地鶏などを焼いて晩餉の膳を出してくれる。それが、江戸からこのあたりまで遊びに来る客には評判になっていて、少々、宿賃が高いのも承知で松本屋をめざして来る。

蔵前から来た、るい達の一行も無論、その噂を聞いて松本屋に宿を取ったので、やがて女中が案内に来て、揃って離れの座敷へ行った。

そこに、先客として堀の内からの一行がいた。で、こちらが席につくのを待って、むこうの若い男が改めて挨拶をした。

「先程、六所大明神では、とんだ御迷惑をおかけ致しました。手前は藤之助と申しまして、親父は堀の内の名主をして居ります。これは母のおつね、こちらは女房のおいつでございます」

こちらの一行では、年長者の板倉屋平兵衛がそれに応えて、自分達の仲間を紹介した。

膳が出て、酒も廻り、藤之助がまめまめしくこちらの席まで酌に来たりして、旅の一夜は賑やかに盛り上った。

聞いてみると、藤之助達も玉川の鵜飼見物に行く途中で、むこうの宿も蔵前の一行と同じ鮎屋だという。

「実は昨年、母が親父と参りまして、大層気に入り、もう一度、見物したいと申します。親父のほうは近頃、足が弱くなりまして、今年はお前が代りに行けといわれて出て参りました」

藤之助が話し、長助が、

「それじゃあ、お内儀さんもはじめてで……」

と訊くと、

「いえ、これは、母の身の廻りの世話を致しますので、昨年も供をして居ります」

という返事であった。

実際、それとなくみていると、母親のおつねは嫁に当るおいつを実によくこき使っている。歯があまりよくないのか、大根や芋の煮たものまで竹の箸で小さく、おいつが切り分けるし、やれ、魚の骨を除《と》れ、茶が欲しい、飯が固いから粥《かゆ》にしてもらって来い、と、宿の女中が、

「そんなことは、わたしがして参ります」

といっても、

「いえ、嫁のほうが馴れていますので……」

と断ってしまう。そのためにおいつは自分の食事も出来ない状態で、始終、立ったり

すわったりしていた。

「まあ、どういう家からお嫁にいらしたのか知りませんけど、あのお姑さんに仕えるのは容易なことじゃありませんよ。また御亭主がちっともお嫁さんをかばってあげないんですから、いくら男前か知りませんけど、あんな情のない人とよくつれ添っていられますね」

晩餉を終えて、部屋へ戻って来てから、早速、お吉がいった。

「おまけにいくら大口屋の御新造さんが色っぽいからって、役者じゃあるまいし、つきっきりでお酌をしたり、お話し相手になったり、全く見ちゃあいられませんでしたよ」

「およしなさい、他人《ひと》様のことをあれこれいうのは……」

一応、るいがたしなめたが、二人の子の寝ついたのをみて、暑いからと間の襖を開けっぱなしにして使っているお千絵が、隣合せの部屋で、こっちへやって来た。

「藤之助という人もどうかと思いましたけれど、大口屋のお秀さんもいけません。ちょっと器量のいい若い男をみると、すぐ、ああなのですもの」

その話をしたくてたまらないといった様子なので、るいも千春の掛け布団を直してから二人の女のすわっている所へ行った。

「お千絵様は、あちらを御存じですの」

「同じ町内で育ちましたでしょう。お秀さんは大口屋の一人娘、それも総領が早く歿《なくな》ったので、とても甘やかされて……」

まだ十四、五の頃から若い男達にちやほやされて、それを親達もあまりとがめなかった。

「そういっちゃあなんでございますけど、蔵前のお嬢さんにしては、お色気がありすぎますですね」

土瓶の茶を二つの茶碗に注《つ》いで、るいとお千絵にさし出しながら、お吉が遠慮なくいう。

「あれも、お若い頃からああなのですよ。お秀さんは女に向く顔と、殿方へ向ける顔がまるっきり違うと……私達はよくいったものですけれど……」

男を相手に気易く口をきくし、自分の気に入った相手だとすぐ思わせぶりをはじめる。派手で華やかな美貌だから、男は悪い気分の筈がなく、忽ちお秀に夢中になる。

「でも、男あしらいはお上手で、十九の時、やはり蔵前の同業の方からお聟さんがきまって御祝言をあげたのですけれど、それまでおつき合いのあった殿方とも、そのまま、娘の時と同じように舟遊びに出かけたり、芝居見物のお供をさせたりで、別におかしなことは何もなかったとお秀さんはおっしゃいましたけど、旦那様にしてみれば、決していいお気持ではなかったのでしょう。だんだん、御夫婦仲が悪くなって、お子も出来ないからと、五年足らずで別れておしまいになりましたの」

その後のことは、お千絵が畝源三郎に嫁いで、八丁堀へ来てしまったので、あまりくわしくは知らないが、

「今の旦那様と御夫婦になったのは二年ぐらい前ですよ」

「やはり、蔵前からお聟さんにいらしたので……」

とお吉。

「浅草のほうにお住いだったとか。二代続いての御浪人だと、うちの番頭さんがいっていましたけど、腕も立つし、算盤もお出来になる。実直で温厚な方だと、蔵前でも評判がよろしいそうですよ」

もともとは大口屋へ用心棒のような恰好でやとわれていたのだと、お千絵はいった。

「うちの店は、なにかあれば、旦那様がかけつけて下さいますし、その必要もないのですけれど、蔵前の札差は大抵がそういう人をおいています」

多額の金を扱うので、盗賊にねらわれるということもあるが、それよりも貧乏な旗本や御家人対策であった。

通常、旗本や御家人は幕府直属の武士であるから、その給米は幕府の米倉から支給される。彼らはそれを札差にまかせて金に替えてもらうのだが、生活が困窮すると、来年の米を担保に札差から借金をする。それが積りつもって、何年も先まで借り続けると、札差のほうもおいそれとは承知しない。断られて逆上し、刀を抜く者も出て来て、お千絵の父親が不慮の死を遂げたのも、そうした揉め事の仲裁をしていてであった。

お秀の二度目の亭主となった伊左衛門は、そうした揉め事をおさめるのが達者だとお千絵はいった。

「誠実に言葉を尽してお話しになるので、大抵の方は納得してお帰りになるのですって」

「良い御方を旦那様になさいましたのね」

藤之助のような男前ではないし、もう四十近いと思われるが、穏やかで立派な風貌をしている。

「でも、お秀さんが相変らず、あんなふうだと心配になりますよ。いくら寛大な方でも、限度というものがありますでしょう」

夜が更けて、話はそれで打ち切りになった。

一日の旅の疲労でお喋り好きのお吉も途中から居ねむりをしている。

翌朝は五ツ（午前八時）に宿を出た。

府中から日野までは二里八丁だが、一行は日野の一つ手前の柴崎の宿から玉川に沿って登って行く。

柴崎には鮎屋の奉公人が出迎えに来ていて、蔵前の一行と堀の内の三人が一緒にやって来たことに少々、驚いていた。

玉川沿いの景色は美しかった。

青葉若葉に朝の陽がさして、鳥の声ものどかに聞える。

源太郎がお千代と千春の手をひいて走り出し、長助とお吉がその後を追って行く。

道はどんどん細くなるので、駕籠は柴崎の宿へ待たせておき、全員が徒歩であった。

それでも正午になる前に鮎屋にたどりつく。

鮎屋は三軒の百姓家を庭でつなげた恰好になっていた。

もともとは鮎を食べさせるだけの店だったのが、泊りがけでやって来る客のために宿屋も兼ねるようになったらしい。

各々の部屋へ案内され、やがて名物の鮎鮨と蕎麦で昼餉《ひるげ》となった。

鵜飼は夕方に行われるという。

「上方では川に舟を浮かべて致しますが、手前どもは崖の上から鵜を使いますので……」

鵜匠が挨拶に来て、説明した。

鵜飼に使われる鵜は鮎屋の裏に飼われていた。

「むこうの囲いに居りますのは、まだ若い鵜で、昨年、鵜捕りがつかまえて来たものばかりですが……」

鵜捕りから買った鵜は、最初に鵜匠によって嘴《くちばし》を削られる。上下の嘴の間にすきまを作り、そこに煙管《きせる》ほどの細い枝をはさみ込んで左右を麻紐でくくっておく。

「かわいそうなことをするとお思いになるでしょうが、片羽を切りまして、飛べないように致しますのも大事な手順で、それから一羽ずつ縄をつけて川で泳ぐ稽古にかかります」

魚を捕って、吐き出させるのは、古い鵜と一緒に使っておぼえさせるので、

「一人前にしますには三年。その鵜が働いてくれますのは十年がよいところで……」

常に新しい鵜を仕込んで行かないと間に合わないのだと、鵜匠は苦笑している。

昼餉がすんで、大人達は各々の部屋へ戻り、子供のほうは広い庭を走り廻って遊んでいる。

三軒の百姓家はいずれも内部に壁の仕切りがあって、二部屋に分れていた。間取りはけっこうゆったりしているが、玄関は一つ、そこから左右へ廊下が続いて二つの部屋の泊り客は各々の部屋のほうへ入ると、間は壁だから、むこうの部屋の話し声などはそれほど聞えて来ない。

客の多い時は各部屋とも入れ込みになるのだろうが、今夜は蔵前からの一行の他は、堀の内の三人家族だけなので、最も奥の一軒に板倉屋夫婦と大和屋夫婦が、中央のに大口屋夫婦と堀の内の家族、一番、母屋に近いところのに、るいとお千絵の家の者が入った。

くつろいで、るいとお千絵が広縁にすわっていると、どこから持ち出して来たのか大八車の上に千春とお千代をのせて、源太郎がひっぱっている。

「いけません。他人様の御家の道具をそのような遊びに使っては……」

慌ててお千絵が声をかけると、米俵を切りはなしたのを抱えて来た長助が手を振った。

「大丈夫でございます。こいつはここの家にことわりをいって借りましたんで、危いことはおさせ申しませんから……」

大八車に米俵を広げ、その上に子供達をすわらせて、長助は嬉しそうにがらがらと曳いて行く。三人の子がきゃっきゃっと喜んで、

「そんなことをすると、腰を痛めますよ」

とお千絵は長助を案じたが、

「なあに、あっしだって、まだこんなことぐらい平気の平左でございますよ」

威勢よく庭を横切って行くのに、お吉が心配して追いかけながら、

「もう、気をつけて下さいまし。源太郎坊ちゃん、しっかりつかまって……千春嬢さま、お千代嬢さま、手をお放しになってはいけません」

と叫んでいる。

二

鵜飼は日の暮れ前に始まった。

玉川が大きく迂回している所に、川面へせり出したような小高い岩場があって、鵜匠はそこへ鵜を従えて上る。

腰蓑をつけた鵜匠は三人で各々、手縄を三筋ずつ、その先に鵜がくくられている。

見物人は少し離れた岸辺に並んで川面を眺めた。

鵜匠が見物人にお辞儀をし、独特の掛け声と共に鵜を川面へ放つ。鵜は水上を静かにすべって行くかと思うと、矢庭に水中へもぐり、やがて浮び上って来る。

岸辺においてある大きな籠に鮎が一尾、二尾と吐き出され、見物人は固唾を呑んで見守った。

半刻ばかり、見物人を楽しませて、鵜飼は終った。ぞろぞろと鮎屋へひき上げて来ると、ちょうど日が暮れる。

それから、母屋で晩餉となった。

鮎の生作りに焼き鮎、味噌田楽、酢の物と捕《と》れ立ての鮎づくしの献立は流石《さすが》に旨い。

「よく仕込まれているんでございますね。こんなおいしい鮎を、よくもまあ自分が食べずに吐き出すなんて……」

お吉がしきりに感心し、

「でもまあ、かわいそうな気も致しますね。折角、捕った獲物を人間様に横取りされてしまって……」

大口屋のお秀が思わせぶりに笑い声を上げた。

折柄、十三夜の月が出た。

蔵前の仲間は板倉屋平兵衛も大和屋幸三郎も風流人で、早速、矢立を取り出して発句《ほっく》などをはじめ、女房達は食後のわらび餅でのんびり話をしながらお茶を飲んでいたが、堀の内の家族は姑のおつねがうながして先に母屋を出て行った。

それというのも、相変らずお秀が藤之助を傍へひき寄せて、酒の酌をさせたり、やれ、醤油をもらって来てくれの、鮎の骨で指先が汚れたから手拭をしぼって来てもらいたいのと用ばかりいいつけ、そのあげくさしつさされつして飲んでいるのを、流石に母親として不愉快であったものとみえる。

堀の内の家族が去ってから、お秀も気分が悪いといい、夫婦で母屋を出て行ったが、すぐに大口屋伊左衛門だけが戻って来て、床の間にあった将棋盤を持ち出して来た。

「どなたか、如何かな」

と声をかけたが、板倉屋も大和屋も不調法でと断った。で、なんとなく、そこに居たお千絵が相手をする破目になった。

もっとも、お千絵は歿った父親の相手を娘の頃からしていたので、碁も将棋もたしなみがある。

気がつくと、腹が一杯になった子供達は眠たげであった。で、るいはそっとお千絵へ目くばせをして、三人の子を伴って母屋を出た。

お千絵がすまなさそうに目で詫びるのを、いいえと笑って首をふり、お吉と共に百姓家へ戻って来て、三人の子を着替えさせ、布団に寝かせると、あっという間にねむり込んでしまった。お吉は明日の旅を考えて、このまま休ませてもらうというので、るいは百姓家を出て、庭伝いに再び、母屋へ行ってみた。

月が冴え冴えと美しい。

薄い雲がゆっくり流れていて、時折、月をかくすが、それも亦、風情がある。

江戸の町中《まちなか》では、夜になってもじっとりと汗ばむような蒸し暑い日が続いているのに、ここは涼しかった。僅かな夜風に団扇《うちわ》を使う必要もない。

暫く、庭で月見をしていて、母屋の広縁へ近づくと、ちょうど対局が終ったところで、大口屋伊左衛門とお千絵が各々、駒を片付けていた。

「やはり、殿方のお相手はつとまりません」

「いやいや、御新造が手加減をして下さったおかげで、なんとか……」

会釈をして、伊左衛門はまだ発句に夢中の板倉屋と大和屋に妻の様子が気がかりなのでと挨拶をし、そそくさと母屋を出て、自分達の泊る百姓家へ帰って行った。

「あちらは、少し、お内儀さんに気を遣いすぎますよ。いくら、御養子でも、御商売のほうは万事、あちらが采配をふっておいでなのだから……」

それとなく眺めていた板倉屋の内儀のお喜久がいい、大和屋のおしげが同意した。

「それでも、お秀さんは未だに金箱の鍵を伊左衛門さんの自由にさせないそうですよ。どなたのおかげでお店が御繁昌しているのか、少しはお考えなさいませんとね」

「これっ」

と大和屋幸三郎が女房をたしなめ、二人の女房は顔を見合せて小さく笑い声を立てた。

庭を伊左衛門が戻って来た。

そこにいた長助に、女房をみかけなかったかと訊いている。

「こちらには、お出でではございませんが」

「部屋には居らぬのだ」

気分がよくなって、どこかで月見でもしているのかも知れないと言いわけのようなことを口にして、伊左衛門は表のほうへ出て行った。

入れかわりに、少し蒼ざめた顔のおいつがやって来た。

亭主の藤之助が来ていないかという。

「姑《はは》が足が痛むと申しますので、ずっとさすって居りましたのですが……」

おつねがねむってしまってから気がつくと夫の姿がみえなかったと不安そうであった。

「てっきり、こちらへ参って皆様とお月見でもしているのかと存じまして……」

るいが人の気配にふりむくと、そこに伊左衛門が立っていた。ということは、おいつの話を伊左衛門も聞いたに違いない。

伊左衛門の表情が歪んだ。

「少々、疲れましたので、戻って横になろうと存じます。お先に……」

とってつけたように頭を下げ、自分の泊る百姓家のほうへ歩み去った。

おいつのほうはその後姿を見送って泣き出しそうな顔をしたが、あきらめたように、こちらもとぼとぼと戻って行った。

誰も口には出さなかったが、思いは一つであった。

大口屋のお秀と藤之助が共に自分達の部屋から姿を消したというのは、二人がしめし合せて、どこかで逢っているに違いない。

伊左衛門もおいつもそれがわかったから、どちらも肩を落して母屋を立ち去った。殊に伊左衛門は面目なくてとても一座の人々の前に居たたまれなかったに違いない。

「さて、明日がある。我々もやすみましょう」

板倉屋平兵衛がいい、そこにいた人々は揃って母屋を出て、各々の部屋へ帰った。

明日は一日をかけて江戸の家へ帰りつく予定であった。

玉川に浮んでいるお秀の死体が発見されたのは翌朝のことであった。

場所は昨日、鵜飼を行った所の近くで、岸辺のやや浅くなっている岩場に、お秀はうつぶせになって水面に顔を突っ込んだ恰好で死んでいた。

かけつけた長助が調べたところによると、首を紐でしめられたような痕がある。

お千絵は供の宇之助をすぐ江戸へ向わせた。

このあたりは、八王子代官所の支配だが、鮎屋の主人によると、

「お届けに参りましても、お役人が来て下さるかどうか」

と甚だ心もとない。

実際、人殺しなぞ何十年も起っていないような土地柄だし、殺されたのが江戸から遊びに来ていた商家の内儀となると、代官所のほうでも、まあ、そっちで適当にといった腹がのぞける。

流石に、江戸でも五本の指に入る岡っ引といわれる長助は、こんな際でもしっかりしていた。

逃げるように出立しかけた堀の内の三人をとりあえず足止めにし、お秀の死体のあっ

た所を念入りに調べてから、遺体を鮎屋へ運ばせた。

伊左衛門は変り果てた女房の姿に仰天して、茫然自失の有様だし、板倉屋も大和屋も、途方に暮れている。

が、誰の胸にも下手人に関しておおよその推量がついていた。

鮎屋の界隈には、全く、他に人家がなかった。それに、ここは街道筋でもない。

鮎屋へ鵜飼見物に来る人々か、鮎屋で働く者以外には、滅多に人の寄りつかない所であった。

状況からしても、お秀を金めあての賊が殺して川へ投げ込んだとは考えられなかった。

死体でみつかったお秀は、月見に外へ出たという恰好で紙入れは鮎屋へ残していた。

それに、もし物盗りなら、お秀が髪に挿していた高価なかんざしや櫛をそのままにしておく筈がない。

下手人は鮎屋に泊った人々の中にいると誰もが思っていた。

昨夜、お秀が姿を消した時刻、この鮎屋にいなかったのは、藤之助只一人であった。

「お秀さんには悪い癖があって、自分から男の人の気を惹くようなことをしておいて、男がその気になると突き放して面白がっている。蔵前あたりではみんな承知していて深入りはしませんが、藤之助という人が田舎者でそこらがわからない。かあっと熱くなってとんだことをしでかしたんじゃありませんかね」

などと板倉屋のお喜久がいうのを、誰もがそんなことに違いないとうなずいていたが、証拠は何もない。

長助は藤之助に目をつけながらも、大口屋伊左衛門についても、それとなく同じ百姓家に泊ったおいつに訊いていた。

「私はうちの人が帰って来ませんので、なかなか眠れませんで……お隣も、壁越しですが煙草盆をはたく音なぞが聞えていましたから……」

伊左衛門が外へ出て行ったとは思えないという。また、亭主の藤之助については、

「帰ってきた時刻は知りませんが、なんでも川っぷちでお月見をしている中に酔いが廻って寝てしまい、慌てて戻ってきたと申して居りました」

と答えた。姑のおつねは熟睡していて、明け方に小用に起きたが、その時は藤之助も鼾をかいて寝ていたと証言している。

「なんとしても、旦那なり、若先生なりが来て下さるまでに、或る程度の目安はつけておきませんと……」

というのが長助の本音で、下手人がわかっているようで、きめ手がない。

宇之助は柴崎に待たせておいた駕籠で江戸へ向ったから、早ければ、午すぎには八丁堀へたどりつく。

「すぐにはお出ましというわけにも行きますまいが、明日には……」

と長助は指を折っている。

午をすぎて、るいは子供達を遊ばせていた。

思わぬ事件で驚いた子供達も時刻が経つといつものように遊びに気持がむいている。庭で石けりをしている子供をみていたるいの所へ鮎屋の奉公人が来て、

「これは、お嬢様方のものではございませんか」

紅花染めの小手拭を持ってきた。

大八車の上の米俵の所に落ちていたという。

たしかに、昨日、子供達は大八車にのって遊んでいたが、小手拭は千春のでも、お千代のでもなかった。

しかし、るいはその美しい小手拭に見おぼえがあった。

お秀が道中の間、それを取り出して汗を拭いたり、弁当を使う時に膝にかけたりしていた。で、さりげなく、

「ありがとう存じます。私どものではございませんが、心当りがございますので、おあずかり致します」

と受け取っておいた。

東吾が馬でかけつけて来たのは日の暮れ前であった。

「源さんは奉行所へ寄ってから来る。もう心配するな」

出迎えた長助に手綱を渡し、走ってきた千春とお千代を両手に抱き上げ、源太郎にうなずいてやってから、母屋へ入った。

長助が全員を母屋に集めておいたからで、

「これは神林様の若先生……」

板倉屋も大和屋も、ほっとした声を上げた。

「明るい中に、現場をみて来る」

長助を案内にして出て行ったが、戻って来た時は母屋ではなく、るい達の泊った百姓家へ落ついて、はじめてるいの運んで来た茶を飲んだ。

「長助から、ざっと話を聞いたよ」

気になったのは、お秀と藤之助の仲だが、

「二人が出会ったのは六所大明神の境内だったそうだが、るいの目から見ても、それが初対面のように見えたか」

と訊いた。

「はい、少くとも、以前から知り合いのようではございませんでした。それに、最初、私どもに声をかけたのは、藤之助さんのおつれあいのおいつさんで、藤之助さんは後からおいつさんを心配して入って来たのです。お秀さんに声をかけられて、どぎまぎしていましたけれど、すぐにおいつさんが戻って来て一緒に出て行きましたから……」

「伊左衛門はどうだ。藤之助かおいつと知り合いだった様子は……」

「それは気がつきませんでした」

おいつが入って来た時、伊左衛門は板倉屋平兵衛と話をしていたように思うとるいが答えた。

「すると、お秀と藤之助はここへ着いてから、ぐんと親しくなったわけか」

東吾の視線を受けて、るいは微笑した。

「でも、お秀さんは美人で、そりゃあ色っぽい方でしたもの、殿方ならすぐお近づきになりますでしょう」

「長助の話だと、藤之助は昨夜、お秀から声をかけられて、飯のあと、玉川の岸で待ち合せをしていたそうだ。待っても待っても女が来ないので、あきらめて鮎屋へ帰って寝てしまったと申し立てている」

「それは、おかしゅうございますよ」

早速、口を出したのは、傍で聞き耳を立てていたお吉で、

「その時刻、大口屋のお内儀さんは母屋にも御自分の部屋にもいなかったんですから、いったい、どこにいっちまっていたというんですか」

口をとがらせた。

「その辺が面白いな」

東吾はもう一度、昨夜、飯をすませてからの人々の行動を念入りに聞いた。

そこへ畝源三郎が到着する。

「源さん、ちょっと井戸端で顔を洗うといい。さっぱりするぞ」

声をかけて立ち上ろうとするので、るいは紅花染めの小手拭を出し、いそいでわけを説明した。

「成程なあ。こういうことになると、うちの内儀さんは、やっぱり、鬼同心の娘って気がするよ」

笑いながら、東吾が小手拭を取り上げて行き、お吉がるいにいった。

「若先生は、いったい、誰が下手人だとお思いなんでしょうか」

それに対して、るいは首をふっただけだったが、間もなく長助が来た。

時分どきなので、母屋で揃って晩餉にするという。

「下手人はつかまったんですか」

とお吉が訊くと、

「ま、それはそれで……」

ぼんのくぼに手をやって、するりと消えた。

お千絵は源三郎について行ってしまったので、子供達三人とるいとお吉が母屋へ行ってみると、すでに全員が膳についている。

酒が運ばれ、蔵前の一行は途惑った顔をし、堀の内の家族はひどく迷惑そうにみえた。

もっとも、藤之助は自分に疑いがかかっているのを承知していて、蒼ざめ、酒も咽喉を通らない様子であり、母親もそうした悴をみて、落つかない有様であった。

最初に口を切ったのは、東吾であった。

それも、すぐ近くにいるおつねにむかってである。

「あんた方は堀の内から来たそうだが、あのあたりの名主といえば大地主の上に苗字帯刀も許されるたいしたものだ。さぞかし、悴の嫁もいいところからもらったんだろうな」

暫く、おつねはあっけにとられていた。立派な侍と思ったのが、ざっくばらんな口をきく。これは、どういう素性の人かと思案したらしいが、東吾が自分の返事を待っているので、慌てて答えた。

「嫁は地元の者ではございませんです」

「ほう、どこから来た」

「江戸で……」

「江戸のどこだ」

「浅草で……」

「まさか、蔵前じゃあるまいな」

「左様な御立派な所からではございませんよ」

思い出したように、腹立たしい口調になった。東吾がおいつを眺めた。

「婆さんはああいっているが、あんたは浅草のなんという店の娘なんだ」

おいつがうつむき、藤之助が代りにいった。

「申しわけございません。おいつは浅草の茶店で働いて居りまして……」

東吾が微笑した。

「道理で、いい器量だと思ったよ。それにしても、堀の内の名主の悴が、どうやって浅草の茶店で働いている娘を射とめたんだ」

　返事は悴よりも母親のほうが早かった。

「ひっかかったんですよ。世間知らずの田舎者が……」

「おっ母さん……」

　藤之助が制し、いそいでとりつくろった。

「手前どもは先祖代々、御旗本の溝口主膳正様の知行地をおあずかり申して居ります」

　つまり、溝口主膳正の知行地が僅かながら堀の内にあって、その管理を名主がしているので、働く小作人への割りふりや、収穫した米を江戸の屋敷へ届けるなど、けっこう用事がある。

「溝口様のお屋敷は浅草寺の裏手にございますので、そちらに参りました折には、浅草寺へ参詣も致しますので……」

「成程、そこできれいな女房をみつけたというわけだな」

　おいつへ訊いた。

「あんたは浅草の生まれか……」

「はい」

「両親は……」

「どちらも私が幼い中に歿りまして……」

「嫁に来るまでは、浅草のどこに住んでいたんだ」

「今戸でございます」

「あのあたりは、女の一人暮しには寂しかろう」

「でも、長屋の方々が御親切で……」

「堀の内へ嫁入りしたのは、いつだ」

「もう三年余りになるかと……」

「子は……」

「まだ、授りません」

「嫁入りの時は、誰に親代りをたのんだんだ」

「あの、それは……」

口ごもったおいつに、おつねが忌々しそうに答えた。

「最初は奉公人ということで、家へおいてやったのですよ。なにしろ、世間様に体裁が悪くて……」

「それで、ずるずると夫婦同然か……」

おつねがいやな顔をし、東吾の視線が大口屋伊左衛門へ向いた。

「貴公は大口屋へ聟入りする以前、やはり浅草に居られたとか、浅草はどのあたりに住まわれてお出でか」

伊左衛門は即答出来なかった。

あ、いや、などと意味をなさない言葉が口を出る。

「今戸ではござらぬか」

「違う……今戸ではございません」

「では、どこか、申されい」

「馬道……いや、馬道にも少々、居りましたが……」

「それは、いつ頃……」

「……」

「その頃のこと、馬道に住む者ならば、おぼえているであろうが……」

ところで、と語調を変えた。

「昨夜、ここで晩餉をすまされて後、如何なされた」

「それは……」

顔中を汗にして伊左衛門が答えた。

「家内が、いささか酔うて居りまして、部屋へ連れて参りましたところ、気分が悪いので床に入ると申します。家内を寝かせ、手前はまだ夜も更けたとはいい難い時刻、折柄、月もよし、また、ここへ戻って参り、畝様の御新造と将棋を致しました。それから部屋へ戻ると……」

東吾が立ち上って床の間から将棋盤を持った。

「その折の将棋盤は、これか……」

おや、というように将棋盤をおき、紅色の小手拭を取り上げた。

「はて、これは……」

板倉屋の女房、お喜久が叫んだ。

「まあ、それは、お秀さんの……」

同意を求めるように一座を見廻した。

「皆様も御存じの筈でございますよ。それ、昨夜、ここでの晩餉の折も、お秀さんが膝にかけてお出でなさった……」

そうそうと大和屋の女房もうなずいて、伊左衛門が東吾の手から小手拭を取り上げた。

「たしかに、これは家内のものに間違いございません」

「お内儀のものが、何故」

「それは……」

ふき出して来る汗を、無意識にその小手拭で拭いた。

「家内が部屋へ戻った時、たしか、手前に渡したように思います。うっかり、懐中に入れ、そのまま、ここへ戻って来て……将棋盤を片付ける時そこへ落したのかと」

「部屋へ戻られてから、お内儀とは会って居ないと申されたな」

「左様で……どこへ行ったのか姿もみえず……」

「それは、奇怪……」

東吾が伊左衛門の手の中の小手拭を眺めた。

「その小手拭は、先程、この家の者が大八車の上に落ちていたと申して届けに来たもの。

女房から知らされて、俺が持っていたのだが……」

ひえっと、伊左衛門が声を上げた。

「これは、どういうことだ。昨日の晩餉に殺されたお内儀が持っていた小手拭が、今日、大八車の上でみつかった。御亭主によると、小手拭は昨夜、お内儀から受け取ったと……」

畝源三郎が音もなく伊左衛門の前へ出た。

「大口屋伊左衛門、其方、大口屋へ聟入りする以前の住い、並びに家族のこと取調べる。別室へ参るように……」

立ち上ろうとしない伊左衛門を長助がひっ立てようとすると、伊左衛門はそのまま、へなへなと崩れ落ちた。

三

大口屋伊左衛門は女房殺しの罪で獄門、その妹、おいつは遠島と決って間もなくの大川端の旅宿「かわせみ」の居間で、東吾は千春を抱いて、軒からしたたり落ちる雨だれを眺めていた。

「畝様がおっしゃっていましたよ。この前の小手拭のこと。ああいう小細工はあまりよろしくないと……」

るいに睨まれて、東吾は照れかくしに笑った。

「何をいってやがる。おかげで一件落着しただろうが……」

お膳を運んで来たお吉がすぐに話の仲間入りをした。

「女房殺しをするにしては、伊左衛門って人も、案外、もろかったですね」

「慌てたのさ」

千春をるいに渡し、東吾は長火鉢の前へ腰を下した。

「あいつだって馬鹿じゃない。江戸では無理と考えて、わざわざ日野まで出かけたのさ。八王子の代官所の役人ならよもや、自分とおいつの関係までは思いも及ばないだろうと高をくっていたところに、俺と源さんがかけつけたんで肝を冷やした。おまけにおいつの素性が忽ち問いつめられる。矛先が自分へ廻って来る。かっとしたところへ、いきなり小手拭なんぞが出て来たんで、つい、逆上しちまったのさ」

お吉が徳利を銅壺《どうこ》に入れ、東吾は膳の上を眺めた。鉄火味噌に菜の花あえと、いつもに似ず、寂しい献立が並んでいる。

「どうして、お内儀さんを殺そうなんて怖しい気になったんでしょうかね。妹は堀の内の名主の悴の嫁になり、自分だって大口屋の旦那に出世したのに……」

「源さんに、伊左衛門がいったそうだ。妹が不愍でならなかったと……」

嫁とはいっても奉公人同然に姑から追い使われ、頼りになる筈の亭主は他の女に気を移す。

「伊左衛門は大口屋へ聟入りする時、自分は天涯孤独で厄介な係累はいないと断言してしまっている。ま、それが大口屋があいつを聟にする時の条件でもあったらしい。つまり、妹のことをお秀に打ちあけそびれていて、引き取るわけには行かない。また、打ちあけたところで、お秀が承知するとも思えない。それに加えて、旦那としていくら商売にはげんだところで、一文の金も自由にはならず、女房は始終、若い男といちゃついている。男として忍耐の限界が来たんだろうよ」

昨年、舅と姑のお供で鵜飼に行ったおいつから、人殺しには究竟《くっきょう》と聞かされて、伊左衛門はその気になった。

出入りの者から面白い鵜飼の話を聞いたと板倉屋や大和屋を誘い、女房連れで出かける計画まではうまく行ったが、同じ札差の縁で畝源三郎の女房だの、「かわせみ」の一行だのがついて来たのは、いささか困っただろうと東吾は燗のつくのを待ちながら話した。

「実際、お千絵さんだの、るいだのが行っていたから、俺も源さんもかけつけたんだからな」

「お千絵さまが、とても怖しがっていましたよ」

お秀と一度、部屋へ戻ってから再び母屋へ来て、お千絵と対局した伊左衛門が、

「あの時、もう、お秀さんを部屋で殺していたと知って、身慄いが止まらなかったとおっしゃって……」

晩餉を終えて、部屋へ戻り、伊左衛門は酒に酔っていたお秀を難なくくびり殺した。

その死骸を夜具の中にかくして母屋へ現われ、さりげなく時を過してから、再び、部屋へ戻ってみせて、今度はお秀がいなくなったとさわぎ立てた。

一方、お秀と約束していた藤之助は玉川べりで待ちくたびれて帰って来る。それを承知で、おいつはさも亭主の行方を知らないかのように、こちらも探し廻ってみせた。

そして、深夜、すべてが寝静まってから、伊左衛門はお秀の死体を外へ運び出し、庭のすみに片付けてあった大八車にのせて玉川べりへ行って岸から突き落した。

「しかし、女ってのは殺されてもただじゃ死なねえものだと源さんもいってたよ。大八車に小手拭が残っていたなんて、さしずめ、寄席の幽霊話に打ってつけじゃあないか」

東吾が笑ったとたんに、お吉がまっ青になった。

「よして下さいよ、若先生。そんなことをおっしゃったら、この小手拭をみるたんびにぞっとして……」

あたふたとお吉が逃げて行き、るいが真顔で東吾を責めた。

「かわいそうに。お吉ったら、お秀さんの持っていた紅花染めの小手拭があんまりきれいだったからと、こないだ門前仲町の小間物屋で漸く、同じようなのをみつけて買って来たばかりなんですよ」

若い女中達にみせびらかして自慢していたのが、

「今頃、きっと、お寺へでもおさめに行こうって考えてますよ」

お吉の身分では、けっこう高い買い物だったのに、と恋女房にいわれて、東吾は苦笑した。

「お吉の幽霊ぎらいを、つい、うっかりしていたよ」

「気をつけて下さいまし。これからはその季節なんですから……」

「あいつ、いくつだった。もうすぐ自分だって幽霊になりかねねえ年だろうが……」

「あなた……」

るいが徳利を取ってお酌をし、廊下をばたばたとお吉がやって来た。

「鮎が焼けました……」

太った立派な鮎がいい色に焼けて、青笹の上にのせてある。

「お吉、小手拭の話は……」

冗談だといいかけた東吾の膝をるいがつねって、お吉がけろりといった。

「番頭さんが明日、近所の八幡様へ持って行って、おはらいをしてくれれば大丈夫ですって……」

折角、買ったものですから、滅多なことでは捨てませんといわれて、東吾は大きなくしゃみをした。

外は、雨がひとしきり強くなっている。

蛙が破れかぶれのような声で啼き出した。

唐獅子《からじし》の産着《うぶぎ》

一

講武所の稽古をすませての帰りに、神林東吾は八丁堀の兄の屋敷へ立ち寄った。

兄の通之進が勤めている南町奉行所は今月が月番で、なにかと御用繁多であった。組屋敷へ下って来る時刻も遅い。

「時折、麻太郎の相手をしてやってくれぬか」

と、兄から伝言があってのことである。

神林家は土用干しの最中であった。

梅雨が終ったこの季節、どこの家でもいっせいに虫干しが始まる。

居間から廊下にかけては書画骨董の類から、伝来の鎧や具足などが、襖を取り払って紐をかけ渡した部屋には衣類がずらりと並んで、なかなかの壮観であった。

「まあまあ、東吾様に、とんだ世話場をお見せしてしまいましたこと」

笑いながら出迎えた義姉の香苗は珍しく片襷で、小さな踏み台を下げている。

「どうやら、手前が役に立ちそうですね」

と東吾がいったのは、るいと夫婦になって大川端町の「かわせみ」へ移るまでは、土用干しの際、高いところからものを下したりするのは東吾の役目だったからである。

そこへ蔵のほうから庭伝いに用人がやって来た。

「これは、よいところに……」

正直に嬉しそうな顔をする。

神林兄弟の父親の代から奉公している律義者で、もう六十のなかばを越えた。もともと小柄のほうなのに、年のせいか更に寸がちぢまった感じがする。

この用人が、

「御当家の虫干しは、大事な御品ばかりでございますから、女中どもにはまかせられません」

といい、自分一人で取りしきっていたのを東吾は思い出した。

考えてみると、東吾がいなくなってからのこの家の虫干しは年々、老齢となった用人と兄嫁の手で行われていたものに違いない。

東吾は自分の迂闊さを後悔した。

「来年からは必ず、声をかけて下さい。ぼんやり者で気がつかなかったのです」

改めて香苗にいったが、兄嫁は、とんでもないことでございます、と手を振っている。

「ちょうど、お茶にしようと思って居りましたの。どうぞ、こちらへ……」

そこだけあけてある部屋のすみに東吾を案内して香苗は台所へ立って行った。

納戸から麻太郎が出て来た。

「叔父上、おいでなされませ」

手を突いてお辞儀をしたのを見ると、木綿の単衣に袴をつけた上に、羽二重の紋付を着せられている。

「どうしたんだ。暑いだろう」

手をさしのべて、脱ぐのを手伝ってやると、

「母上が、ちょっと着てみるようにおっしゃったのです」

照れくさそうな顔で答えた。

手ずから冷たい麦湯を運んで来た香苗が、

「まあ、ごめんなさいませ」

と笑い出した。

「東吾様がいらしたので、つい、慌ててしまって……」

麦湯を勧め、東吾の手から紋付を取り上げた。

「御存じですか。これは、東吾様の産着ですよ」

「産着……」

「お宮参りの時に、お召しになった」

紫の羽二重に白く、大きく神林家の家紋である源氏車が染め抜かれている。

「そんなものが取ってあったのですか」

「こちらが旦那様のですって」

部屋の紐にかけてあったのを取った。同じような産着で、色は冴えた群青である。

「嫁に参りまして、最初の土用干しの時、旦那様が教えて下さいましたの。毎年、こうして風を通しますけれど、あまり愛らしいので、つい、麻太郎にかけてみたくなりまして……」

娘の時と同じような表情で、香苗が義弟に弁解した。

「成程、産着ですか」

誕生しておよそ一カ月後に、宮参りと称して産土神《うぶすながみ》へ参詣する時、母に抱かれた上からくるりとかけ廻されたもので、その恰好は千春の宮参りの時にみているからよくわかる。

「そう申せば、千春の時は、義姉上から頂きました」

古代朱に鶴の模様が縫い出された見事な産着であった。

「こんなものを、よく長いこと、残しておきましたね」

「大事な思い出ですもの」

二枚の産着を再び、紐にかけた。

麻太郎と向い合って麦湯を飲み、饅頭を食べながら、東吾は気がついていた。

麻太郎の宮参りの時、おそらく立派な産着が用意され、それを着せられたに違いないが、その産着はもはや、彼の手許には伝っていない。虫干しで広げた東吾の産着をそっと麻太郎に着せかけた香苗の気持の中にある優しさに、東吾は感謝した。

一服した後は虫干しの後片付であった。

日中、よく風を通した道具類は各々の収納場所へ運ばれて、高い所は東吾、下のほうは麻太郎がしまって行く。

東吾が感心したのは、麻太郎が実によく、品物をおいてあった場所をおぼえていることで、

「その御軸は左の上の棚です。そちらの木箱が隣で……」

と東吾に教える。

どうやら、今朝、香苗の手伝いをして、それらを運び出す時に記憶したものらしい。

「下す時は、母上がなさったのか」

麻太郎の指図通りに品物をしまいながら東吾が訊き、

「はい、踏み台はわたしがおさえていました」

小さな胸を張って、答えた。

「それなら安心だな」

「今に大きくなったら、わたしが上も下も、一人で致します。母上に御苦労はおかけし

ません」

「そうだな。早く大きくなれ」

「はい」

背後で兄嫁が鼻をすすり上げるのが聞えて、東吾はふりむいた。香苗が着物をたたみながら、襦袢の袖口で目をおさえている。

夕方までに、神林家の虫干しはすべて片付いた。

「東吾様のおかげで助かりました。でも、旦那様に申し上げたら、お叱りを受けますわ」

麻太郎と玄関まで見送りながら香苗が首をすくめ、東吾は笑った。

「兄上はおっしゃいますよ、あのぼんやりが、今頃、気がついたかと……」

来年は必ずお声をかけて下さい、と念を押して外へ出た。その背後に香苗の声が聞えた。

「麻太郎も御苦労様でした。今夜は麻太郎の好きなつくねのお団子ですよ」

わあっという子供らしい歓声が続いて、東吾は頬をゆるめた。

麻太郎は鶏のつくね団子が好物なのかと思う。それは少年の日、東吾が大喜びした飯のおかずであった。

「あれは、兄上もお好きだった」

甘辛く煮ふくめたのを五つずつ、小鉢に盛って膳にのせられるのを、東吾はいつも、まっさきに食べてしまった。気がついて兄のほうをみると、まだ二つ、三つ残っている。もっとゆっくり食べるべきだったと後悔しながら飯を嚙んでいると、兄がそっと自分の鉢と東吾のからっぽのとを取り替えてくれた。

で、兄はつくね団子があまり好きではないのかと思い込んでいたのだが、香苗が嫁に来てからの兄は何かというと、つくね団子を作れといい、少し甘いの、辛すぎるのと細かく注文をつけて、すっかり神林家独特の味つけをおぼえさせると、大鉢に山盛りにしてせっせと食べている。

「本当に旦那様も東吾様もつくね団子がお好きで……」

と兄嫁が目を細くして感心しているのをみて、東吾は漸く、少年の日の兄の思いやりに気がついたものであった。

「若先生……」

二度ほど声をかけられて、東吾は顔を上げた。歩いている道のむこう、北紺屋町の角にるいと長助が立って、こっちをみている。東吾は苦笑して、手を上げ、大股に近づいた。

「井戸職人の吾助さんの所に赤ちゃんが生まれたので、お祝いに行って来ましたの」

るいがいった。

「ちょうど、長助親分がみえていて、吾助さんに用事があるというものですから、一緒に参りました」

長助が頭を下げた。

「来月の井戸浚《さら》いの打ち合せなんで。この節、井戸浚え職人の手が足りませんものでして、早くから頼んでおきませんと……」

七月に入ると江戸はいっせいに井戸浚いが行われる。大名家から長屋の共同井戸までなので、井戸浚え職人にとっては年に一度の大稼ぎの時期でもあった。

「かわせみでも頼んであるんだろうな」

亭主顔で訊いたのに、るいが微笑した。

「それは、もうとっくに番頭さんが……」

三人揃って、亀島町の川岸通りに出た。

目の前を亀島川が流れている。

子供が三、四人、とび出して来た。一人の小さな子を他の大きな子が追い廻している。

長助が制しかけた時、亀島町のほうから来た老婆に子供の一人がぶつかった。老婆は他愛なく尻餅をつき、子供はあやまりもしないで、他の子と一緒に小さいのを追いかけて行く。

るいが走り寄って老婆を助け起し、子供達をどなりつけた長助が傍へ来た。

「お松さんじゃねえか、怪我はなかったか」

助け起されて、お松と呼ばれた老婆は茫然と子供達のかけ去った方角を目で追っている。

「おい、大丈夫かね」

長助に再びいわれて、慌てて頭を下げた。

「これは親分さん、ありがとう存じます」

そこへ、子供達を追いかけて行った東吾が、お松にぶつかった子をひっぱって戻って来た。

「さあ、あやまるんだ。年寄にぶつかって、知らん顔でいいものじゃない。すまなかったとあやまりなさい」

子供は頬をふくらました。

「俺が悪いんじゃない。福松が俺を突きとばしたから……」

「福松というのは……」

「京屋のちびだよ。派手なの着て来やがって、見せびらかすから……」

「お前達が追い廻していた子か」

「金持なんで、いばってやがるんだ」

「なんにしても、ぶつかったのはお前なんだ。あやまらずに行く法はない」

お松が急に背をむけた。よろよろと亀島橋を渡って行く。

「おい、お松さん」

長助が追い、東吾がそっちをみたとたんに子供が逃げた。まっしぐらに北紺屋町の町屋の間へ走り込んで行く。

もう追う気はなくて、東吾は苦笑した。

「子供ってのは、つまらねえことで喧嘩するんだな」

「あのおちびさん、産着を着ていたんですよ」

るいが教えた。

「唐獅子の柄のある上等の産着でしたけど」

「どうして、産着ってわかった」

「わかりますよ。広袖仕立になっていますもの」

商家の宮参りの産着にしたら贅沢なものだったとるいがいった。

「虫干しかなんかで出してあったのを、あのちびが自慢に着て来たのかな」

兄の屋敷で自分の産着が虫干しされているのを見たことからの連想であった。

長助がかけ戻って来た。

お松が少し、足を痛めているようなので、送って行くといい、挨拶をしてまた走り去った。

こっちは夫婦二人、肩を並べて亀島橋を渡る。

「さっき、なにを考えていらっしゃいましたの」

るいが東吾の横顔をのぞき込んだ。長助に二度呼ばれるまで気がつかないというのは、日頃の東吾らしくない。

「兄上の所へ寄ったら虫干しの手伝いをさせられてね。なんとなく昔のことを思い出したんだ」

うちの虫干しはどうなっていると訊き、るいはあでやかに笑った。

「旦那様のお留守の中に、すみました」

橋を渡ってふりむくと、西空が鮮やかに染っている。

「明日も天気だな」

一日暑かったと呟き、東吾は越前堀沿いの道をるいの歩調へ合せて、のんびりと「かわせみ」へ帰った。

二

翌日、律義者の長助は「かわせみ」へ詫びに来た。

昨日、お松という老女を送って先に帰ったことを気にしているので、るいが慌てて手をふった。

「そんなこと、うちの人はなんとも思っちゃいませんよ。それより、あちらのお怪我はどうでした」

足をひきずりながら帰って行った老婆であった。

「どうも、ころんだはずみに軽くひねったようでございますが、今日はもう元気になって片付けものをして居りました」

長いこと、すぐ近くに住んでいたのだが、近く西荒井薬師のほうへひっこすのだといった。

「亭主は木地師と申しますんですか、木で椀だの盆だのを彫る職人で、なかなかいい腕でしたが……」

彫ったものは塗物問屋へおさめ、そこから塗師の手に渡って漆を塗って仕上げられる。

「深川の山田屋と申します塗物問屋の仕事をして居りましたんですが、七十を過ぎて目も悪くなり、いつまでも出来る仕事でもねえと西荒井のほうに少しばかりの田畑を買いまして、夫婦で百姓をしようと。まあ、すっかり下準備の出来た昨年の暮に、亭主の兼吉と申しますのがぽっくり逝っちまいまして……」

医者は卒中だといったが、まことにあっけない最期だったと長助は、ぼんのくぼに手をやった。

「子供さんは居なさらないんですか」

長助のために串団子と茶を運んで来たお吉が早速、話の仲間入りをする。

「そいつが、夫婦二人っきりでして……」

「おいくつなんですか。あのお婆さん……」

子供がぶつかっただけで他愛なく尻餅をついた老婆は痩せて小柄で、気力らしいものが全くなかった。

「亭主と同い年で、今年七十三になるそうです」

「その年で子供がないんじゃ、大変ですね」

お吉が気の毒そうにいう。

「まあ、少々は貯えもあるようで、婆さん一人が老後を養うぐらいのことはなんとかなるようですが、どうにもがっくり来ちまってまして……」

子供のない夫婦が寄り添って、七十すぎまで生きて来たのであった。夫に先立たれて後の寂寥は想像しただけで胸が痛む。

「で、どうするんです、西荒井のほうは……」

女一人で馴れない畑仕事は無理ではないかとお吉はいったが、

「やっぱり、むこうへ行くそうです。今の家はいろいろと思い出が多くて、やりきれないようで……」

今日、見たところでは、すっかり荷物が出来上っていた。

「まあ、二、三日中に舟を頼んでひっこすようです」

西荒井ならば、大川を上って千住大橋を抜ければ間もなくであった。

「小さな家のようですが、むこうにはもう所帯道具も揃えてあるそうで……」

夫婦二人の隠居所のつもりで、何度かむこうへ行って泊ったこともあり、近所の人々とも顔馴染になっているようだと話をし、やがて長助は帰った。

「やっぱり、子供がないと年をとってからが寂しいものでございましょうね」

と、お吉はしょんぼりしたが、泊り客が着いて、るいが挨拶に行き、戻って来ると、もう陽気に千春の遊び相手をしている。

その夜、更けてから二人きりになった時、るいは東吾に、

「嘉助もお吉も、どんなに年をとっても、病気になっても、最後まで面倒をみてやりたいと思います」

といってみた。それは、この「かわせみ」をはじめた時からのるいの決心だったが、東吾が果してどう思っているか、少しばかり不安だったからである。

「当り前だろうが……」

というのが、東吾の返事であった。

「それとも、うちの内儀さんは、あの二人を赤の他人と思っているんじゃあるまいな」

嘉助もお吉も「かわせみ」の大黒柱。

「俺達の親みてえなもんだといったら、お吉ががっかりするだろうから、ま、るいの姉さんか、親類の小母さんか……」

「そんなことをいったら、二人が肝を潰します」

だが、るいは安心していた。そういってくれるに違いない東吾だとは信じていたものの、口に出してはっきりいわれると、正直に胸の中が温かくなる。

「千春が生まれていて、本当によかったと思います」

ふと、気持が孤独なお松の身の上へとんで口にしたのだったが、

「俺が先に死んでも、娘がいるから大丈夫ってことか」

年下の亭主は口先だけ面白くなさそうにいう。

「そうじゃありません。いやですよ、縁起でもない」

鶴亀、鶴亀と胸許で手を合せた女房に、東吾はゆっくり腕を廻した。

そんなことがあって二日後、畝源三郎が「かわせみ」へ顔を出した。

子さらいがたて続けに起っているという。

「毎度のことですが、親がひたかくしにして居りまして……」

ということは、子供をさらわれた家に脅迫状が舞い込んでいるので、どこそこへ金を持って来い、お上に知らせると子供の命はないとおどかされた親が、相手のいうままになっている。

「それで、子供は帰って来たのか」

「わかった限りで申しますと、一件を除いては帰って来ています」

源三郎が東吾の前に半紙を開いた。

子さらいのあったのは、全部で四件、そのすべてが神田であった。

久右衛門町の桶問屋の悴、吉之助、亀井町の海産物問屋、安井屋久兵衛の悴の清吉、豊島町の酒問屋、灘屋源兵衛の悴、春太郎、岩井町は小間物問屋大和屋雪之助の悴の彦一であった。

「年は彦一は五歳ですが、あとの三人は揃って三歳です」

つまり、さらわれたのはいずれも男の子で三歳と五歳ということになる。

「久右衛門町の桶問屋は、長助が少々、知り合いだといいますので、これから長助と行ってみようかと思います」

「かわせみ」に寄ったのは、千春の身辺に気をつけるよう声をかけるためであった。

「大丈夫でございます。千春嬢様のお傍を離れは致しません」

お吉が真剣な顔でいい、るいも嘉助も緊張した。子を持つ親にとって、子さらいほど憎いものはない。

「源さん、俺も行くよ」

用心も大事だが、一刻も早く下手人を捕えるのが先決であった。

長助は豊海橋の袂で待っていた。源三郎に同行した東吾をみて嬉しそうな顔をした。

豊海橋を渡って箱崎のほうから神田へ向う。

「さらわれた子の家が神田にかたまっているってえのが、ちょいと気になります」

歩きながら長助がいった。

子さらいにもいろいろあって、器量のいい女の子をさらって女衒《ぜげん》に売りとばすのもあるし、おかしな量見の男が悪戯するために子供を連れて行く事件もある。

「そういやあ、昔、本所の名医の所の花世がとっつかまりそうになった子さらいは、横浜の異人が子供の胆を集めているっていう話から始まってたな」

東吾が思い出し、長助が合点した。

「ああいうのは厄介でございますが、今度のは、はっきりと金めあてのようで……」

四件ともに子供がさらわれてから文が来て、金を要求し、支払いがすむと、子供が戻って来る。

「年頃が三歳で、男の子ばかりというのは、そのあたりとかかわり合いがありそうだな」

連れ去った子供が戻って来て、あれこれと親に喋ったり、親の問いに答えたりすると、下手人の手がかりがつく。

「三つというと、たいしたことはわからないだろう」

赤ん坊に毛の生えたようなものだと東吾がいった。秋に誕生した子は次の正月が来ると二歳であった。生後数カ月で二つということは三歳になっても母親の乳を飲んでいたり、襁褓《むつき》をあてていても不思議ではない。

「あっしの所の孫なんぞは十二月生まれでしたんで、三つになっても、まんまぐれえのことしか喋りませんでした」

長助もいう。

「どっちかというと、男の子のほうが口が遅いそうでして……」

金さえ親が素直に渡せば、子供を殺すことなく無事に返すというのから考えると、子さらいが三つぐらいの男の子をねらう理由がわからなくもない。

「下手人は、近くの者かも知れません」

源三郎がいった。

金のある家で、三つぐらいの子がいるというのが、てっとり早くわかるのは近くに住む者であった。

「しかし、近所だと顔を知られたりして、なにかと具合が悪くはないか」

「三歳の子なら、わかりますまい」

「子供が帰って来ないのがあったな」

「岩井町の大和屋の悴、彦一です」

「いくつだ」

「五歳です」

どうも、そこが一番最初にさらわれたようだと源三郎がいい、東吾が腕を組んだ。

「成程、五つで失敗して、あとは三つということか」

五つぐらいなら顔をみられても大丈夫と思ったところが、そうではなかったかして、その子を返せなくなる。

「源さんの考えが当っているかも知れないぞ」

久右衛門町の桶問屋、浜田屋はお玉ヶ池稲荷の近くであった。通りに面して店があり、裏側が住いになっている。

長助の従兄弟に当るのの娘が、かどわかされた吉之助という子の母親ということで、三人は住居のほうの玄関から家へ通された。

母親のおしのと一緒に出て来た吉之助は歩くのはけっこう速いが、まだあどけなく、言葉のほうはあっ、あっとか、おうとか奇声を発する程度で、家族にはそれがなにを意味するかよくわかるというが、言語の段階には達していない。従って、この子から誰に連れて行かれただの、どんな所にいただのと訊いても答えられるものではなかった。

いってみれば乳呑児の、這えば立て、立てば歩めの親心といった成長過程の年齢なのである。

「この子の姿がみえなくなりましたのは、今月の十八日で、手前どもでは虫干しをして居りました」

話したのは、吉之助の父親の吉兵衛であった。

「夕方になって、手前が店から住居のほうへ戻って参りますと、吉之助の姿がみえず、女どもが探して居りました。まだ、この通り一人で遠くへ出て行ける年ではございません。ただ、この節、いろいろと物売りがこの前の露地を通りまして、吉之助も母親と外へ出て、風鈴を買ったり、金魚をみたりして居りますので、或いはと、表の通りまでみて歩きました」

ぐるりと界隈を廻って店へ戻って来ると、店先に投げ文があったと、小僧が持って来た。

「奉公人も大方、外へ吉之助を探しに出ている間のことで、誰も知らぬ中に土間へ投げ込まれていたそうで……」

吉之助が無事に戻って来てから、縁起でもない文とひきさいて捨ててしまったのだが、ごくありふれた、子供が手習でもするような半紙に仮名文字で、

こんや九ツ　はまちょうのみずのいなりに十りょう　おそなえにおっかさんひとりがきなされおかみにいうとこどものいのちはないぞ

と書いてあったという。

「どうしたものかと迷いましたが、おしのはなんとしても自分一人で行くと申しますので、手前にしても吉之助は一人息子で……」

浜町の水野稲荷というのは浜町河岸を大川の三ツ俣へ下りて行く途中、川の西側に少々、塀が続いているところに水野壱岐守の下屋敷がある。その下屋敷の裏庭へ入り込んだ恰好で建っている稲荷社のことであった。

結局、十両を持ったおしのに、浜町河岸の所まで吉兵衛が同行し、そこからはおしの一人が水野稲荷へ行って、社前に十両を供えて帰って来た。

「あとはもう夢中で、夫婦してここまで帰って来まして、ただもう神仏に祈って居りますと、左様、半刻もしてからでございましょうか、裏木戸を叩く音が致します。とび出して参りますと、そこに吉之助がいて、あたりを見廻しましたが、まっ暗でもございますし、人の気配もないようで……」

とにかく、無事な我が子を抱き上げて、店中がどっと喜びに沸いたものだといった。

別に犯人の心当りもなく、人から怨まれるおぼえもないと夫婦は口を揃えた。

神田の他の三軒はいずれも近くであった。亀井町の安井屋は浜田屋の前をまっすぐ南へ行った東側だったし、豊島町の灘屋はそれよりもっと近く、浜田屋の前の通りを神田川の方角へ行ったところ、岩井町の大和屋は灘屋の隣町である。

けれども、四軒ともに事件が表沙汰になって、お上の調べが進むまで自分の家とおなじような被害を受けた家が近所にあるとは全く気がつかなかった。それだけ、親達の口が固く、奉公人にも口止めをしていたわけである。

四軒を廻ってみてはっきりしたのは全く同じ手口という点であった。

子供がさらわれたのは、いずれも夕方で、投げ込まれた文の内容も、要求した金が十両であることも、母親を運び人に指定して、真夜中に水野稲荷へ届けろというのから、その親が戻って来て半刻もすると子供が誰とも知れぬ者に送られて、家へ届けられる段取りも寸分、違っていない。

唯一の例外は大和屋の彦一で、これは母親が十両を水野稲荷に届けに行ったにもかかわらず、未だに子供は戻って来ない。

「いつ帰るかと、毎日、息を殺すようにして待ち続けて居りましたのですが、その中にお上が調べはじめてお近くの灘屋さんがやはり子さらいに遭い、金を届けたら無事に子供さんが帰って来たという噂を耳にしまして、そっと灘屋さんをお訪ねして事情を聞きました。すると、全く同じ手口だとわかりまして……」

灘屋のほうは子供が帰ったのに、自分の所はまだである。

「これはいけないと考えまして、お上にお届け致しました」

といい、夫婦が青ざめているのは、我が子が生きている確証がないためで、それでも、

いました」

「彦一は五つではございましたが、なりは小さく、言葉もまだ、ほんの片言程度でござ

戻って来ても、犯人のことをあれこれ話せるようなしっかりした子ではなかったのにと涙に暮れている。

大和屋を出て、とりあえず神田川沿いの番屋へ落ついた。

「下手人は、間違いなく近所の者だな」

東吾が断定した。

さらわれた子供以外には誰にも顔を見られていない。

「一人ではありませんね」

源三郎がいった。

投げ文をしたり、金を取りに行ったり、その間、子供を見張っている者が必要だろうから、少くとも二人以上の仲間がいると思えた。

「ですが、この界隈は町屋ばかりでございます」

それも家が建てこんでいる地域だといい出したのは長助で、

「早い話が隣の家に、見馴れねえ子がいたら、すぐわかるもんじゃあございませんか」

と首をひねる。

たしかに、神田浜町界隈は江戸でも人家の密集している地域で、表通りは大店が軒を並べているが、裏は大方、長屋であった。長屋住いではさらって来た子をかくしようが

ない。

「大店の主人が子さらいをして十両稼ぐというのも平仄《ひょうそく》が合わねえしなあ」

水野稲荷へ行ってみるかと東吾がいい出して、番屋を出た。

江戸城を取囲む御堀の水が竜閑橋の下を通って神田の町を西東に横切り、橋本町と岩井町のところで鉤の手にまがって南下すると浜町河岸で、間もなく大川へ流れ込む。

その手前、浜町河岸の対岸の難波町が切れるあたりに堀が出来ていて水路は川と直角に西に向っている。

従って水路の北側は難波町だが、南側は武家地で角から小川道伯、奈佐清次郎、矢野源七郎と三軒の御家人屋敷が続き、その一番奥が水野壱岐守の下屋敷となる。

もっとも、水野家の門は、この水路と反対側の松島町に面したところにあり、水路に沿って来た道は水野家の外で行き止まりであった。

その袋小路の突き当りに稲荷社がある。

赤い鳥居があって、左右に狐の石像が並んでいる。社地は五坪そこそこで板囲いがしてあり、まん中に朱塗りの社殿があった。正面の賽銭箱の脇に八足《はっそく》がおいてあって、その上には誰が供えたのか油あげが載っていた。

「十両の金は賽銭箱の脇においたっていいますと、この台のことですかね」

長助がいい、東吾は今、入って来た道をふりむいた。一本道の突き当りに立っているわけで、この細道には武家屋敷の塀が長く続き、反対側は堀であった。三軒の武家屋敷は塀だけが境界で間に道はない。

「どうも、妙な所へ金を持って来させたとは思わないか」

子供の親が突き当りのお稲荷さんへ十両おいて去った後、犯人はこの道を入って来て金を取る。

「もし、張り込んでいた奴がその後を追ってここへ入れば、逃げ道はないだろうが……」

堀の幅はおよそ一間半、もし、むこう側へ跳んだとしても、あいにく堀のむこうには道がなかった。商家の塀が堀端まで来ている。

「たしかに馬鹿げていますね」

大体、こういう手口で金を取る場合、親が必ずしもお上に訴え出ないとは限らなかった。岡っ引や町役人に話さないまでも、店に出入りの鳶《とび》の連中とか、奉公人の中の腕自慢などが見えがくれについて来て、犯人を捕えようとする場合が少くない。従って、金を取ってから逃げやすい場所、追跡をくらましやすい条件のところを指定するものであった。

よりによって袋小路の奥というのは、どういう意味があるのか。

来た道を戻って浜町河岸へ出る。そこへ息を切らして神田川のほとりの番屋の番太郎が来た。

「お知らせ申します。松下町の質屋の倅がいなくなったようで、家中が探しています」

孝吉という三歳の子で、神田川へ落ちたのではないかとさわいでいるといった。

「ひょっとすると、子さらいじゃねえかと思いまして……」

源三郎達が水野稲荷へ行ったのは知っていたので、報らせに来たものだ。

東吾が空を仰いだ。陽は暮れかけて川風が吹いている。

三

松下町の質屋、相模屋を、長助が張り込んだ。

乗りかかった舟といった恰好で、神田川の番屋に源三郎と東吾が待機する。時折、様子を見に行っていた番太郎が帰って来ていった。

「間違えありませんや。相模屋はひっそりしちまって、早々に店を閉めてます」

子供が戻って来た様子もないのに、外へ探しに出ていた奉公人が呼び戻されて、それっきり姿をみせない。

番太郎に稲荷鮨を買わせて腹ごしらえをした。張り込んでいる長助には番太郎が届けに行った。もう一人、二人使いっ走りの援軍が欲しいところだが、下手に動いて犯人に覚《さと》られてはとんだことになる。

「俺は今から行ってお稲荷さんに張り込もう。源さんは万一、敵が舟で来る場合に備えて川筋を頼む」

金を持って来させる場所はまず今度も水野稲荷に違いないと東吾はいった。

「あそこには、なにか敵にとって都合のよいことがあるんだ」

源三郎も同意した。腹ごしらえがすんで、すぐに東吾は番屋を出た。

夏のことで、浜町河岸はまだ人通りがあった。涼みに出ている者も少くない。子供が集って線香花火に興じている。そのあたりを走り廻っている子や、屋台の麦湯をねだる子もいて、浜町河岸は賑やかであった。すぐ目の前の水野稲荷で犯罪が行われようとしているとは誰も知らない。

東吾はさりげなく人ごみを通り抜け、大川の近くまで行って、そこから橋を渡って反対の川っぷちへ出た。時刻はやがて四ツ（午後十時）で、町屋のほうはまだ人影が動いているが、武家地のほうは静かであった。水野稲荷へ入る細道は暗かった。闇にまぎれるようにして社殿の横の暗がりにひそむ。

そこまで聞えていた川っぷちの人の声が、ふっつりと消えてしまったのは一刻（二時間）後で、細い月が中天にかかり、夏草に露が宿りはじめている。

ひたひたと足音が近づいて来た。心細げな足取りは間違いなく女のものである。

稲荷社の鳥居の前に女が立った。僅かばかり、ためらった後、賽銭箱の脇の八足に気がついたとみえて、懐中から出した紙包をそっとそこへおく。あとは社殿へ深く頭を垂れると逃げるように戻って行った。

東吾は息を殺し、身動きもしなかった。間もなく、別の足音がこの堀割の細道を入って来る筈であった。

だが、物音は全く意外なところから起った。

社殿の後の玉垣の下をくぐって小さな影が走ったとみる間に、紙包をつかんですばやく同じ玉垣の下へもぐる。

流石《さすが》の東吾が行動を起しそこなった。あっと気がついて、玉垣のところへ走ったが、東吾の体ではその下はくぐれない。玉垣のむこうは塀でその先が大名家の下屋敷であることも東吾をためらわせた。

すばやく判断したのは、犯人は下屋敷の庭を抜け、表へ逃げ出すに違いないと思ったからで、細道を一目散にとび出した。

「東吾さん」

ひそんでいたらしい源三郎と長助が姿をみせた。

「やられた。敵は水野家の中を抜けて来たんだ」

三人がひとかたまりになって一つ先の道を入る。だが、井上河内守の上屋敷と安藤内蔵之助の屋敷の間を抜けるその道はすぐに松島町へ出て、水野壱岐守の門前の先は左へ行けば大川へ右へ走れば堺町だの住吉町だの、神田の町屋がぎっしりと並んでいて、その露地のどこへもぐり込んでも追跡は到底、無理であった。

「相模屋のほうが心配です。戻りましょう」

東吾達の張り込みを知った敵が果して子供を無事に返すかと思うと、三人共、頭の中がまっ白になる。

走って走って走り抜いて、間もなく松下町というところで、むこうから提灯の灯が一つ近づいて来た。
十二、三歳の女の子で胸に辻占売りの箱を下げている。東吾達をみると怖しそうに身をちぢめ、仔猫のように露地へ逃げ込んで行った。
三人は足を止めなかった。そのまま、相模屋の店の戸を叩く。おそるおそる顔を出した番頭は相手が定廻りの旦那と気がついて、ほっとした表情をみせた。が、奥のほうからは明らかに喜びの声が聞えていた。

「孝吉は無事に戻って来たのだな」

源三郎がいい、番頭は驚きの声を上げた。

「どうして、それを……」

「無事に戻ったのなら、それでよい」

源三郎が背をむけ、長助がくぐり戸を外から閉めた。

夜更けの路上で男三人が顔を見合せた。

「助かったな」

子供が無事であったことである。

「命がちぢみましたよ」

相模屋にはなんのことわりもなく、勝手に張り込みをしたのであった。失敗したあげくに子供が帰って来なかったひには、すまなかったではすまされない。

帰途は誰も無言であった。口がきけないほど疲れてもいた。

「俺のしくじりだ」

何故、あの時、小さな影につかみかからなかったかと、東吾は後悔した。

「出て来た所も所だが、あまり小さかったので、つい……」

「子供だったのですか」

漸くといった恰好で源三郎が訊いた。

「子供だろう。顔は暗くてみえなかったが、背丈からして、せいぜい七、八歳か」

「そんなちびだと、手前でもひるみますよ。東吾さんのせいではありません」

町の木戸に出た。長助が木戸番を起しに行き、本来は不寝番が建前の木戸番が目をこすりながら出て来た。

「御苦労様でございます」

と挨拶したのは、源三郎を定廻りの旦那と気がついてのことである。

「遅くにすまなかった」

源三郎が少々の銭を木戸番に渡し、三人はそこを通り抜けて日本橋川のふちへ出た。

八丁堀はもう近い。

ふっと東吾の足が止った。

「あいつだ」

低く呟く。

「二度目のしくじりをやらかしたぜ」

「なんのことです」

「相模屋の子だ。帰って来るのが早かったと思わないか」

水野稲荷の周辺を三人の男が走り廻って少しばかりの時間を食った。が、それからは全速力で相模屋へ走った。

「一足違えってところじゃございませんか」

子供が返されて来たのと、東吾達がたどりつくのと。

「戸を叩いて、すぐに番頭がくぐりを開けたってことは、子供が戻って来て、番頭はまだ店にいたんだ」

「どういうことですか、東吾さん」

「辻占の小娘だよ、俺達がすれ違った」

神田へ入って、三人が出会ったのは、あの娘だけだと東吾はいった。

「相模屋の孝吉を送って来たのは、あの娘だったんだ」

長助が、まさかという顔をした。

「せいぜい、十三、四ってところでしたが」

「だから欺されたんだ、大の男が歩いてくれれば、俺達もあの時刻、おかしいと思うだろう」

辻占売りの小娘が、なにかで遅くなって帰りを急いでと思ったから、三人共、やりすごした。

「明日、調べてみてくれ。あの界隈で辻占売りに出ている小娘はいないか。神田は木戸がある。木戸番に聞いてみるのもいいだろう、夜更けに辻占売りの娘が木戸を開けてもらって通らなかったか」

疲れ果てていた長助が、威勢のいい声を上げた。

「合点です。夜があけるのが待ち遠しいや」

翌日、長助の働きで辻占売りの娘の身許が明らかになった。

「おきみですか。あの子は昨夜遅くに通りましたよ。下の子がおっ母さんを恋しがって泣くので、親の所へ連れて行くんです。ええ、前にも何度か、そんなことがありまして……」

母親は大和町の辰の湯という湯屋の女中をしていると木戸番がいった。

「お咲さんといいまして、湯屋は夜が遅い。お客が帰ったあとに板の間の掃除をしたりすると松島町の家へ帰れば夜があけちまう。それで、湯屋の二階に泊って翌朝、またひとしきり働いて、昼間は別の女中が交替するんで家へ帰るようです。なにしろ子沢山だそうで……」

のんびりした木戸番の話の途中で、長助は躍り上りそうになったという。

大和町の辰の湯といえば、子さらいのあった久右衛門町と豊島町のちょうど中間に当るし、他の三軒とも遠くない。しかも、住んでいるのは松島町、まさに水野稲荷のあの水野壱岐守の下屋敷の前であった。

長助の報告を受けて、源三郎が番屋へ呼んだお咲を取り調べた。最初はしらっぱくれていたものの、子供を盗っ人の手先に使ってどうする、子供達のさきゆきを考えろと源三郎に諭されている中に、急に泣き出してすべてを白状した。

「なにしろ、子供を一人殺して居りますし、五十両もの金を詐取しているのですから同情するわけにも行かないのですが……」

一件落着してからいささか憂鬱そうに源三郎が話したのによれば、お咲という女は亭主運が悪く、三十一になる今までに三度、亭主を持ったが、三人とも病気で死んでしまった。

「三人の亭主との間に出来た子が、なんと八人もいるんです」

十五歳をかしらに十三、十、九つ、八つ、六つ、四つ、三つの子供達で上から三人までと八歳、四歳が女の子、九つと六つと三つが男の子。

「我々が出会った辻占売りの女の子は二番目で、水野稲荷から金を取って逃げたのは六歳の男の子でした」

金持の子をさらって金を取ろうと考えたのは母親のお咲だが、すべてをやってのけたのはお咲の指示通りに動いた子供達であった。

湯屋で働いていれば、近所の様子は耳に入りやすい。その上、湯屋では湯をわかすための木材を、近所から拾って来たり、問屋などで不用となった木箱を安く下げてもらったりする。

酒問屋の灘屋や海産物問屋の安井屋、桶問屋の浜田屋なぞは、いずれもそうした理由で辰の湯とかかわりがあった。

「子供は子供同士と申しますか、三つの子を誘い出すのも、子供ならもしみつかっても、外にいたから一緒に遊んでいたとか、なんとでも弁解が出来ます」

大抵、年かさの子が小さい弟や妹を連れて来て、菓子や玩具を餌に三つの子をさらって行く。

「子供が子供を連れて歩いている分には、誰もみとがめはしません」

松島町の同じ長屋の住人にしても、

「お咲さんの所は子沢山で、ちいさいのがちょろちょろしているから……」

見知らぬ子がまじっていても、気がつかない。

「子供の中に子供をかくすというのは、実にうまい手だと思いましたね」

苦笑して源三郎が汗を拭いた。

投げ文をするのも子供なら、夜更けにさらった子を親の家へ返しに行くのも子供で、

「小さい子が母親を慕って泣くので、辰の湯にいるお咲のところへ連れて行くといえば、木戸番もあやしみはしません」

実際、昨夜は子をおいて帰る辻占売りのおきみを目にしていても、特に不審を持たなかった。

「子供というのが、盲点なんだな」

東吾も慨嘆した。もとはといえば長年の貧乏暮しに疲れ切った母親が、なんとかまとまった金を得たいと考えた悪事だが、最初にさらった五歳の彦一を心ならずも殺してしまった。

「彦一があまり泣きさわぐので、手拭で口をしばって葛籠《つづら》に入れておいたら、死んでしまったと申すわけです」

子供達の無智がしたことだが、罪は無論母親にある。

「大島に流罪と決まりました」

金は半分も手をつけてなかったので、返せるだけ返したし、子供達は町役人が各々に奉公先をみつけ、六つと四つと三つの子は寺があずかってくれることになったと、源三郎は少しばかり安心した口調でいった。

「ところで、東吾さん、もう一つ、奇妙なことがわかったのです」

神田界隈の子さらい事件が片づいたという時期に、五歳の子が行方知れずになっていることが明らかになった。

「最初はこれも、お咲の仕業と思って、問いつめたのですが、全く知らないと申します。場所もちょっと遠く、子供がいなくなったという家の者にいろいろ訊いてみますと、どうも神田の件とは違うようで……」

投げ文も来ていない。

「どこなんだ」

「八丁堀の近くです」

築地の幸町で、京屋という塗物問屋の倅で福松という五歳の子だという。

「長助は、その子に会っているのですよ。行方知れずになる前日とかいいましたが、北紺屋町の井戸淩え職人の所へ行った帰りだそうです」

それで、るいが思い出した。

「それじゃ、あの時……」

唐獅子の柄の産着をひっかけた子を何人かの悪餓鬼が追い廻していた。

「その、追いかけられていた子だそうですよ。長助はあの時、一緒だった子供達に話を聞いていますが……」

今のところ手がかりはないらしい。

源三郎が帰ってから、東吾は少しばかり思案していたが、

「長助のところへ行って来る」

るいに声をかけて、そそくさと出かけた。

長助は珍しく釜場で悴と一緒に働いていたが、東吾の姿をみるといそいそと前掛をはずした。

「まだ一つ、片付かない子さらいがあるそうだな」

源さんに聞いたよ、と店のすみの腰かけに落ついた東吾へ、長助は手をふった。

「あれはどうも迷子かなんぞのようで……」

以前にも飴屋のあとをついて尾張町の先まで行ってしまったことがあるのだそうだと話した。

「その時は探しに出た者が尾張町の角で泣いているのをみつけて連れて帰って来たそうですが……」

「俺達が亀島川のところで会った翌日にいなくなったというと、もう十日になるだろう」

長助が指を折った。

「十三日前の夕方ってことになります」

外で遊んでいた筈の福松の姿がみえないと気がついて、それこそ尾張町のほうまで探しに行った。

「京屋じゃ虫干しをしていて、片付けに手間どったそうで、福松を呼びに出たのは暗くなってからだったようで……」

「金をよこせといって来たりはしていないのだな」

「へえ、ですから京屋では神かくしかもしれないと……」

京屋は二日がかりで虫干しをしていたのかと東吾は思った。行方知れずになる前日、産着をひっかけて遊んでいた福松は、おそらく自分の宮参りの時の産着が虫干しで取り出されたのを、友達にみせびらかしたのだろう。

外から長助の女房のおえいが帰って来た。

「使の人は舟で帰りましたよ」

いいかけて東吾に気がつき、慌ててお辞儀をした。誰かを送って行ったらしい。長助が傍からいった。

「実は明日にでも西荒井まで行って来ようかと思いまして……」

福松の姿をみた同じ時、悪餓鬼に突きとばされてころんだ老婆をおぼえてお出でですかと、長助は訊いた。

「西荒井へひっこしたんですが、どうも体を悪くしたようなんです。今しがた使が来まして、話しておきたいことがあるので、あっしに来てもらえねえかと……」

「お松とかいったな」

「へえ、子供もいねえ人ですし……」

長助の女房が口をはさんだ。

「子供はいたそうですよ。小さい時に歿ったとか……」

なにかが、東吾の脳裡をかすめた。

「死んだ亭主は木地職人だったたな」

「そうです」

「木地職人というのは、出来たものを塗物問屋へおさめるんじゃなかったか」

「左様でございます。問屋のほうから塗師に廻しまして……」

「お松の亭主は品物をどこにおさめていたんだ」

「深川の山田屋で……」

「幸町の京屋ということはないだろうな」

おえいがいった。

「おっ母さんに聞いて来ます。おっ母さんのほうが、お松さんと親しかったので……」

住居のほうから、長助の母親をつれて来た。

もう八十に近いが、相変らず目も耳も丈夫で矍鑠《かくしやく》としている。

幸町の京屋といった東吾に大きくうなずいた。

「左様でございます。兼吉さんはもともとは京屋の木地職人だったんでございますが、いやなことがあって暇をもらい、こっちへ引っ越して来てから、山田屋さんの仕事をするようになったんで……」

「いやなこととは、なんだったんだ」

「兼吉さんとお松さんとの間に出来た栄太郎という子が、京屋の息子に殺されたんでございます」

「おっ母さん、いい加減なことをいうなよ。そんな話は聞いていないぜ」

長助が慌て、母親は倅を笑った。

「お前が生まれる前のことだよ。京屋の先代の勘兵衛さんが、たしか七つぐらい、今から五十年も昔のことだもの」

長助があっけにとられ、東吾はしっかり者の母親に訊ねた。

「お松の子は、京屋の勘兵衛に殺されたのか」

「はずみだったんでございましょうが、まあ、悪い遊びをしていまして……」

長助の母親が聞いたところでは、七つの勘兵衛が自分のところの木地職人の子である栄太郎と蔵で遊んでいて、首つりごっこをやった。太い鴨居から紐を下げて、その先の輪の中に栄太郎の首を突っ込む。勘兵衛が紐をひいて、栄太郎が苦しがってばたばたやるのが面白いと、紐をひいたり、はなしたりしている中に、

「子供のことで、手加減がわからなかったんでしょうか、栄太郎が死んでしまいましたそうで……」

だが、事件は表沙汰にはならなかった。

「京屋では五十両の金でお松さん夫婦に因果を含めたんだと申します」

子供を殺されて立腹しない親はないが、問屋の主人と木地職人の立場では、結局、泣き寝入りをする他はなかったようで、

「流石に京屋の仕事はしたくなかったんでしょう。深川へ来て、山田屋さんの仕事をするようになったんです」

長助の母親の記憶はしっかりしていた。

「お松夫婦は京屋を怨んでいただろうな」

「あんまり、愚痴はいいませんでした。五十両をもらっている弱味もあるでしょうし、

なにしろ五十年も昔のことですから……」

西荒井に老後のための土地を買ったのも、その時の金が元手になっていると長助の母親はいった。

「お松が西荒井へひっこして行ったのはいつだったんだ。ひょっとすると、福松が行方知れずになった日とか……」

「その翌朝でございました」

長助がいった。

「朝起きたら、大八車をひいて行くお松さんの後姿がみえたんです。とび出して行ったら、別れがつらいから、挨拶なしに行くつもりだったって……すぐそこから舟をたのんであるので心配しないでくれと……」

長助の女房が少しばかり青ざめていったのは、東吾の考えていることが、およそ推量されたからである。

「長助、明日とはいわず、今から西荒井へ行こうじゃないか」

「あっしはかまいませんが、若先生が行って下さるんで……」

「俺は、福松が生きていてくれればよいと思っているよ」

「かわせみ」には長寿庵から使が行くことになって、長助と東吾は、仙台堀のところから用意させた猪牙《ちよき》に乗った。

大川をまっしぐらにさか上《のぼ》る。

西荒井に着いたのは夜になってからだったが、岸辺の百姓家で訊くとお松の家はすぐにわかった。

お松は病臥していた。僅かの間に衰えが激しい。東吾と長助がほっとしたのは、お松の隣の布団に子供が寝ていたことであった。福松である。

「お許し下さい。とんだことを致しました。この子を京屋さんへおかえし下さい」

手を合せたお松に、東吾がいった。

「あんたの気持はよくわかった。子供は神かくしにあったんだ。長助が京屋へつれて行くから心配するな」

お松はあの日、唐獅子の産着をひっかけて逃げ廻っていた福松をみた。

五十年の歳月を一瞬の中にひき戻したのは、唐獅子の産着であった。

「あれは、たしか勘兵衛坊ちゃんの産着でございました」

京屋の勘兵衛より二つ年下の栄太郎は宮参りの時に、勘兵衛の母親の親切で、勘兵衛の産着を借りて産土神へ参詣した。

我が子を殺した相手と、殺された我が子が共に着た産着が、あの唐獅子の紋付であったのだ。

その勘兵衛は五年前に歿り、勘兵衛の忰の幸之助の子が、ちょうど死んだ栄太郎と同い年になっている。

「亭主にも死なれ、一人ぼっちで七十を過ぎたお松の心の中に、唐獅子の産着は我が子の死んだ口惜しさ、悲しさを燃え上らせたのかも知れないな」

福松が無事に京屋へ戻って間もなくの「かわせみ」の午後、居間で千春の相手をしながら、東吾がるいとお吉に話した。

「母親にとって、忘れられるものじゃありませんでしょう。五十年経とうと、百年が過ぎようと……」

るいが涙ぐみながら、訴えた。

「京屋さんはお金で片がついたと忘れてしまっていたかも知れませんが、人の命がお金で買えるわけがないんです」

お吉が、そんな女主人の気持をなだめるようにいった。

「でも、福松って子は舌足らずっていうのか、あんまりお利口じゃないのか、西荒井のことっていうと、おむすび食べたとか、馬がいたとか、つまらないことしか話せないんですってね」

そのせいで、神かくしで西荒井へつれて行かれ、農家の婆さんの厄介になっていたという長助の嘘が、京屋では信じられている。

「長助の奴、明日あたり、またお松の見舞に行くそうだよ」

人のいい長助一家では母親と女房が交替で西荒井へお松の看病に通っているらしい。

「元気におなりなさるといいんですがね」

お吉が呟いたが、東吾は返事をしなかった。
千春が愛らしい声で歌い出し、るいがそれに声を合せた。
「かわせみ」にはいつもの穏やかな夕方が訪れようとしている。

初出　「オール讀物」平成10年8月号〜11年5月号
単行本　平成11年8月　文藝春秋刊

文春文庫

長助《ちょうすけ》の女房《にょうぼう》 御宿《おんやど》かわせみ26

定価はカバーに
表示してあります

2002年8月10日 第1刷
2022年7月5日 第12刷

著 者 平《ひら》岩《いわ》弓《ゆみ》枝《え》

発行者 花田朋子
発行所 株式会社 文藝春秋

東京都千代田区紀尾井町 3-23 〒102-8008
TEL 03・3265・1211㈹
文藝春秋ホームページ http://www.bunshun.co.jp

落丁、乱丁本は、お手数ですが小社製作部宛お送り下さい。送料小社負担でお取替致します。

印刷製本・凸版印刷

Printed in Japan
ISBN978-4-16-716877-3

（　）内は解説者。品切の節はご容赦下さい。

平岩弓枝
女の顔（上下）
幼い時に母と渡米したが、日本女性として厳しく育てられた津奈木まさき。母亡き後に単身帰国するが、親戚は冷たく、住み込み家政婦をして一人で生きてゆくことに。綾なす人間模様。

ひ-1-106

平岩弓枝
鏨師《たがねし》
無銘の古刀に名匠の偽銘を切る鏨師と、それを見破る刀剣鑑定家。火花を散らす厳しい世界をしっとりと描いた直木賞受賞作「鏨師」のほか、芸の世界に材を得た初期短篇集。（伊東昌輝）
ひ-1-109

平岩弓枝
女の旅
洋画家の娘・美里は語学に堪能なツアー・コンダクター。平泉、鎌倉、東京、ニューヨークを舞台に、初恋に揺れる若い女心と、情事に倦みながらも嫉妬する中年女の心理を描く。（伊東昌輝）
ひ-1-116

平岩弓枝
花のながれ
昭和四十年の暮れ、上野・池之端にある江戸から続く老舗糸屋の当主が亡くなった――。残された三人の美しい娘たちの三者三様の愛と人生の哀歓を描く傑作長篇ほか、二編を収録。

ひ-1-123

平岩弓枝
女の家庭
海外赴任を終えた夫と共に娘を連れて日本に戻った永子。姑と小姑との同居には想像を絶する気苦労が待っていた。忍従の日々の先にあるものは？　女の幸せとは何かを問う長篇。

ひ-1-124

平岩弓枝
秋色（上下）
有名建築家と京都の名家出身の妻、この華麗なる夫婦の実態は……。シドニー、麻布、銀座、奈良、京都、伊豆山と舞台を移して、華やかに、時におそろしく展開される人間模様。

ひ-1-126

平岩弓枝
肝っ玉かあさん
東京・原宿にある蕎麦屋「大正庵」の女主人・大正五三子は、太っ腹で、世話好きで、涙もろいお人好し。ひと呼んで「肝っ玉かあさん」。蕎麦屋一家の人間模様を軽妙に描く長篇小説。

ひ-1-128

文春文庫　平岩弓枝の本

（　）内は解説者。品切の節はご容赦下さい。

平岩弓枝
酸漿《ほおずき》は殺しの口笛
御宿かわせみ7

表題作ほか、「春色大川端」「玉菊燈籠の女」「能役者、清大夫」「冬の月」「雪の朝」の全六篇を収録。おなじみの人物を縦横に活躍させて、江戸の風物と人情を豊かにうたいあげる。

ひ-1-207

平岩弓枝
白萩屋敷の月
御宿かわせみ8

表題作ほか、天野宗太郎が初登場する「美男の医者」「恋娘」「絵馬の文字」「水戸の梅」「持参嫁」「幽霊亭の女」「藤屋の火事」の全八篇。ご存じ〃かわせみ〃の面々が大活躍する人情捕物帳。

ひ-1-208

平岩弓枝
一両二分の女
御宿かわせみ9

表題作ほか、「むかし昔の」「黄菊白菊」「猫屋敷の怪」「藍染川」「美人の女中」「白藤検校の娘」「川越から来た女」の全八篇。江戸の四季を背景に、人間模様を情緒豊かに描く人気シリーズ。

ひ-1-209

平岩弓枝
閻魔まいり
御宿かわせみ10

表題作ほか、「蛍沢の怨霊」「金魚の怪」「露月町・白菊蕎麦」「源三郎祝言」「橋づくし」「星の降る夜」「蜘蛛の糸」の全八篇収録。小さな旅籠を舞台にした、江戸情緒あふれる人情捕物帳。

ひ-1-210

平岩弓枝
二十六夜待《にじゅうろくやまち》の殺人
御宿かわせみ11

表題作ほか、「神霊師・於とね」「女同士」「牡丹屋敷の人々」「源三郎子守歌」「犬の話」「虫の音」「錦秋中仙道」の全八篇。今日も〃かわせみ〃の人々の推理が冴えわたる好評シリーズ。

ひ-1-211

平岩弓枝
夜《よ》鴉《がらす》おきん
御宿かわせみ12

江戸に押込み強盗が続発、「かわせみ」へ届けられた三味線流しおきんの結び文が解決の糸口となる。他に名品と評判の「岸和田の姫」「息子」「源太郎誕生」など全八篇の大好評シリーズ。

ひ-1-212

平岩弓枝
鬼の面
御宿かわせみ13

節分の日の殺人、現場から鬼の面をつけた男が逃げて行った。表題作の他「麻布の秋」「忠三郎転生」「春の寺」など全七篇。大川端の御宿「かわせみ」の面々による人情捕物帳。（山本容朗）

ひ-1-213

（　）内は解説者。品切の節はご容赦下さい。

平岩弓枝
神かくし
御宿かわせみ14
神田界隈で女の行方知れずが続出する。神かくしはとかく色恋のつじつまあわせに使われるというが……東吾の勘がまたも冴える。御宿「かわせみ」の面々がおくる人情捕物帳全八篇。
ひ-1-214

平岩弓枝
恋文心中
御宿かわせみ15
大名家の御後室が恋文を盗まれ脅される。八丁堀育ちの血が騒ぎ、東吾がまたひと肌脱ぐも……。表題作ほか、るいと東吾が晴れて夫婦となる「祝言」「雪女郎」「わかれ橋」など全八篇収録。
ひ-1-215

平岩弓枝
八丁堀の湯屋
御宿かわせみ16
八丁堀の湯屋には女湯にも刀掛がある、という八丁堀七不思議の一つが悲劇を招く。表題作ほか、「ひゆたらり」「びいどろ正月」「煙草屋小町」など全八篇。大好評の人情捕物帳シリーズ。
ひ-1-216

平岩弓枝
雨月
御宿かわせみ17
生き別れの兄を探す男が、「かわせみ」の軒先で雨宿りをしていた。兄弟は再会を果たすも、雨の十三夜に……。表題作ほか「尾花茶屋の娘」「春の鬼」「百千鳥の琴」など全八篇を収録。
ひ-1-217

平岩弓枝
秘曲
御宿かわせみ18
能楽師・鷺流宗家に伝わる一子相伝の秘曲を継承した美少女に魔の手が迫る。事件は解決をみるも、自分の隠し子らしき男児が現われ、東吾は動揺する。「かわせみ」ファン必読の一冊！
ひ-1-218

平岩弓枝
かくれんぼ
御宿かわせみ19
品川にあるお屋敷の庭でかくれんぼをしていた源太郎と花世は隣家に迷い込み、人殺しを目撃する。事件の背後には——。表題作ほか「マンドラゴラ奇聞」「江戸の節分」など全八篇収録。
ひ-1-219

平岩弓枝
お吉《きち》の茶碗
御宿かわせみ20
「かわせみ」の女中頭お吉が、大売り出しの骨董屋から古物を一箱買い込んできた。やがて店の主が殺され、東吾はお吉の買物の中身から事件解決の糸口を見出す。表題作ほか全八篇。
ひ-1-220

（　）内は解説者。品切の節はご容赦下さい。

平岩弓枝
犬張子の謎
御宿かわせみ21
花見の道すがら、るいが買った犬張子には秘められた仔細があった。玩具職人の、孫に向けた情愛が心を打つ表題作ほか「独楽と羽子板」「鯉魚の仇討」「富貴蘭の殺人」など全八篇収録。
ひ-1-221

平岩弓枝
清姫おりょう
御宿かわせみ22
宿屋を狙った連続盗難事件の陰に、江戸で評判の祈禱師、清姫稲荷のおりょうの姿がちらつく。果してその正体は？　「横浜から出て来た男」「穴八幡の虫封じ」「猿若町の殺人」など全八篇。
ひ-1-222

平岩弓枝
源太郎の初恋
御宿かわせみ23
七歳になった初春、源太郎が花世の歯痛を治そうとして巻き込まれたのは放火事件だった——。表題作ほか、東吾とるいに待望の長子・千春誕生の顚末を描いた「立春大吉」など全八篇収録。
ひ-1-223

平岩弓枝
春の高瀬舟
御宿かわせみ24
江戸で屈指の米屋の主人が高瀬舟で江戸に戻る途上、変死した。懐中にあった百両もの大金から下手人を推理する東吾の活躍を描く表題作ほか、「二軒茶屋の女」「紅葉散る」など全八篇。
ひ-1-224

平岩弓枝
宝船まつり
御宿かわせみ25
宝船祭で幼児がさらわれた。時を同じくして「かわせみ」に逗留していた名主の嫁が失踪。事件の背後には二十年前の同様の子さらいが……。表題作ほか「冬鳥の恋」「大力お石」など全八篇。
ひ-1-225

平岩弓枝
長助の女房
御宿かわせみ26
長寿庵の長助がお上から褒賞を受けた。町内あげてのお祭騒ぎの中、一人店番の女房おえい。が、おえいの目の前で事件が。表題作ほか「千手観音の謎」「嫁入り舟」「唐獅子の産着」など全八篇。
ひ-1-226

平岩弓枝
横浜慕情
御宿かわせみ27
横浜で、悪質な美人局《つつもたせ》に身ぐるみ剝がれたイギリス人船員のために、一肌脱いだ東吾だが、相手の女は意外にも……。異国情緒あふれる表題作ほか「浦島の妙薬」「橋姫づくし」など全八篇。
ひ-1-227

（　）内は解説者。品切の節はご容赦下さい。

平岩弓枝
新・御宿かわせみ
時は移り明治の初年。幕末の混乱は「かわせみ」にも降り懸かる。次代を背負う若者たちは悲しみを胸に抱えながらも、激動の時代を確かに歩み出す。大河小説第二部、堂々のスタート。
ひ-1-235

平岩弓枝
華族夫人の忘れもの
新・御宿かわせみ2
「かわせみ」に逗留する華族夫人の蝶子は、思いのほか気さくな人柄。しかし、常客の案内で、築地居留地で賭事に興じて、るいの留守を預かる千春を心配させる。表題作ほか全六篇を収録。
ひ-1-236

平岩弓枝
花世の立春
新・御宿かわせみ3
「立春に結婚しましょう」——七日後に急に祝言を上げる決意をした花世と源太郎はてんてこ舞いだが、周囲の温かな支援で無事祝言を上げる。若き二人の門出を描く表題作ほか六篇。
ひ-1-237

平岩弓枝
蘭陵王の恋
新・御宿かわせみ4
麻太郎の留学時代の友人・清野凜太郎登場！　凜太郎は御所に仕える楽人であった。凜太郎と千春は互いに思いを募らせていく。表題作ほか「麻太郎の友人」「姨捨山幻想」など全七篇。
ひ-1-238

平岩弓枝
千春の婚礼
新・御宿かわせみ5
婚礼の日の朝、千春の頰を伝う涙の理由を兄・麻太郎は摑みかねていた。表題作ほか、「宇治川屋の姉妹」「とりかえばや診療所」「殿様は色好み」「新しい旅立ち」の全五篇を収録。
ひ-1-239

平岩弓枝
お伊勢まいり
新・御宿かわせみ6
大川端の旅宿「かわせみ」は現在修繕休業中。この折に「かわせみ」の面々は、お伊勢まいりに参加。品川宿から伊勢路へと慣れぬ旅を続けるが、怪事件に見舞われる。シリーズ初の長篇。
ひ-1-240

（　）内は解説者。品切の節はご容赦下さい。

平岩弓枝
青い服の女
新・御宿かわせみ7
大嵐で休業を余儀なくされた旅宿「かわせみ」が修復され、お伊勢まいりから戻った面々。相も変わらず千客万来で、奇妙な事件も。明治篇七巻目となるシリーズ最新作。（島内景二）
ひ-1-241

平岩弓枝　画・蓬田やすひろ
御宿かわせみ傑作選1
初春《はる》の客
江戸の大川端にある小さな旅籠「かわせみ」を舞台に繰り広げられる大人気〝人情捕物帳〟。宿の若き女主人るいの忍ぶ恋が胸を打つ、国民的シリーズのカラー愛蔵版第一弾！
ひ-1-252

平岩弓枝　画・蓬田やすひろ
御宿かわせみ傑作選2
祝言
美しい江戸の町に実を結ぶるいと東吾の恋。シリーズ最大の人気作「祝言」を含む、捕物、人情、江戸の光景に贅沢に心遊ばせる一冊。蓬田やすひろ氏のカラー挿絵も美しい、第二弾！
ひ-1-253

平岩弓枝　画・蓬田やすひろ
御宿かわせみ傑作選3
源太郎の初恋
幼い源太郎と花世が巻き込まれた大事件。表題作他、大安売りに目がない女中頭お吉の騒動を描く「お吉の茶碗」など珠玉の七篇を収録。カラー挿画とともに味わう、愛蔵版第三弾！
ひ-1-254

平岩弓枝　画・蓬田やすひろ
御宿かわせみ傑作選4
長助の女房
深川・長寿庵の長助が、お上から褒賞を受けた――。お祭り騒ぎの中で事件が起きる表題作他、「大力お石」「千手観音の謎」など八篇を収録。カラー挿画入り愛蔵版、ついに完結！
ひ-1-255

平岩弓枝・大矢博子　選
「御宿かわせみ」ミステリ傑作選
かわせみシリーズの傑作「矢大臣殺し」はアガサ・クリスティへのオマージュか？　書評家・大矢博子が、トリックを切り口に七作品を厳選。巻末の著者インタビューでその謎が解ける。
ひ-1-256

（　）内は解説者。品切の節はご容赦下さい。

安部龍太郎
等伯（上下）
武士に生まれながら、天下一の絵師をめざして京に上り、戦国の世でたび重なる悲劇に見舞われつつも、己の道を信じた長谷川等伯の一代記を描く傑作長編。直木賞受賞。（島内景二）
あ-32-4

安部龍太郎
姫神
争いが続く朝鮮半島と倭国の平和を願う聖徳太子の遣隋使計画。海の民・宗像の一族に密命が下る。国内外の妨害工作に悩まされながら、若き巫女が起こした奇跡とは——。（島内景二）
あ-32-6

安部龍太郎
おんなの城
結婚が政略であり、嫁入りが高度な外交だった戦国時代。各々の方法で城を守ろうと闘った女たちがいた——井伊直虎、立花誾千代など四人の過酷な運命を描く中編集。（島内景二）
あ-32-7

安部龍太郎
宗麟の海
信長より早く海外貿易を行い、硝石、鉛を輸入、鉄砲をいち早く整備。宣教師たちの助力で知力と軍事力を駆使して瞬く間に九州を制覇した大友宗麟の姿を描く歴史叙事詩。（鹿毛敏夫）
あ-32-8

安能　務
始皇帝　中華帝国の開祖
始皇帝は〝暴君〟ではなく〝名君〟だった!?　世界で初めて政治力学を意識し中華帝国を創り上げた男。その人物像に迫りつつ、現代にも通じる政治学を解きあかす一冊。（冨谷　至）
あ-33-4

浅田次郎
壬生義士伝《みぶぎしでん》（上下）
「死にたぐねえから、人を斬るのす」——生活苦から南部藩を脱藩し、壬生《みぶ》浪と呼ばれた新選組で人の道を見失わず生きた吉村貫一郎の運命。第十三回柴田錬三郎賞受賞。（久世光彦）
あ-39-2

浅田次郎
輪違屋糸里《わちがいやいとさと》（上下）
土方歳三を慕う京都・島原の芸妓・糸里は、芹沢鴨暗殺という、新選組の内部抗争に巻き込まれていく。大ベストセラー『壬生義士伝』に続き、女の〝義〟を描いた傑作長篇。（末國善己）
あ-39-6

（　）内は解説者。品切の節はご容赦下さい。

浅田次郎
一刀斎夢録（上下）
怒濤の幕末を生き延び、明治の世では警視庁の一員として西南戦争を戦った新選組三番隊長・斎藤一の眼を通して描き出される感動ドラマ。新選組三部作ついに完結！（山本兼一）
あ-39-12

浅田次郎
黒書院の六兵衛（上下）
江戸城明渡しが迫る中、てこでも動かぬ謎の武士ひとり。勝海舟や西郷隆盛も現れて、城中は右往左往。六兵衛とは一体何者か？笑って泣いて感動の結末へ。奇想天外の傑作。（青山文平）
あ-39-16

あさのあつこ
燦《さん》 1 風の刃《やいば》
疾風のように現れ、藩主を襲った異能の刺客・燦。彼と剣を交えた家老の嫡男・伊月。別世界で生きていた二人には隠された宿命があった。少年の葛藤と成長を描く文庫オリジナルシリーズ。
あ-43-5

あさのあつこ
燦 2 光の刃
江戸での生活がはじまった。伊月は藩の世継ぎ・圭寿と大名屋敷住まい。長屋暮らしの燦と、伊月が出会った矢先に不吉な知らせが。少年が江戸を奔走する文庫オリジナルシリーズ第二弾！
あ-43-6

あさのあつこ
燦 3 土の刃
「圭寿、死ね」。江戸の大名屋敷に暮らす田鶴藩の後嗣に、闇から男が襲いかかった。静寂を切り裂き、忍び寄る魔の手の正体は。そのとき伊月は、燦は。文庫オリジナルシリーズ第三弾。
あ-43-8

あさのあつこ
火群《ほむら》のごとく
兄を殺された林弥は剣の稽古の日々を送るが、家老の息子・透馬と出会い、政争と陰謀に巻き込まれる。小舞藩を舞台に少年の友情と成長を描く、著者の新たな代表作。（北上次郎）
あ-43-12

あさのあつこ
もう一枝《いっし》あれかし
仇討に出た男の帰りを待つ遊女、夫に自害された妻の選ぶ道、若き日に愛した娘との約束のため位を追われる男——制約の強い時代だからこその一途な愛を描く傑作中篇集。（大矢博子）
あ-43-16